D0610047

BLODWEN JONES

TRI CHYNNIG I BLODWEN JONES

BETHAN GWANAS

Argraffwyd gan Naheberra gan
Wasg Gomer, Llandysul, Ceredigion

Gomer

Adargraffiad – 2012

ISBN 9781843232230

Mae Bethan Gwanas wedi datgan ei hawl dan
Ddeddf Hawlfraint, Dyluniadau a Phatentau 1988
i gael ei chydnabod fel awdur y llyfr hwn.

Cyhoeddwyd dan gynllun comisiynu Cyngor
Llyfrau Cymru.

Dymuna'r cyhoeddwyr gydnabod cymorth
Adrannau Cyngor Llyfrau Cymru.

Diolchiadau

I Siôn a Rhys am yr wybodaeth adaryddol.

I Arwyn Groe am yr englynion. (Gofynnais am rai sâl!)

I Dafydd Iwan am ei ganiatâd i ddefnyddio geiriau 'Pam fod eira'n wyn'.

Byrfoddau

eg	enw gwrywaidd
eb	enw benywaidd
eg	enw gwrywaidd neu enw benywaidd
ll	lluosog
GC	gair sy'n cael ei ddefnyddio yng Ngogledd Cymru
DC	gair sy'n cael ei ddefnyddio yn Ne Cymru
1	edrychwch ar y nodiadau yng nghefn y llyfr

Rhagfyr 3ydd Dydd Llun

Ces i ddiwrnod gwael heddiw. Ac mae annwyd arna i. Mae fy nhrwyn yn biws, fy mhen fel bwced a dw i'n teimlo'n ofnadwy. Bai Siôn ydi o. Ddoe, roedd hi'n bwrw glaw ac yn chwythu, y math o dywydd i aros i mewn i wylio ffilm. Ond na, roedd Siôn eisiau mynd i wylio adar. Eto. Dw i ddim yn gwybod pam maen nhw'n galw'r peth yn 'gwylio adar'. Mae 'gwylio coed' yn ddisgrifiad gwell. Neu wylio llyn/môr/mynydd – unrhyw beth ond adar – am oriau.

Roedd y siwrnai i'r goedwig yn Sir Fôn yn hir a diflas hefyd, er mai fi oedd yn gyrru. Mae hi bron yn amhosib cynnal sgwrs efo Siôn mewn car. Ar ganol brawddeg, mae o'n gweld aderyn yn yr awyr/yn y coed/ar bolyn, a dyna ni, ta ta. Mae o'n anghofio amdana i, yn anghofio beth roedd o'n ei ddweud, ac yn anghofio am bopeth ond yr aderyn. Ar y dechrau, ro'n i'n meddwl bod y peth yn *sweet* (dw i ddim yn siŵr a ydi 'melys' yn gywir yma), ond erbyn hyn, mae o'n dechrau mynd ar fy nerfau i.

Buon ni'n cuddio yn y guddfan am oriau. Roedd fy nhraed i fel blociau o rew. Roedd fy mysedd i fel . . . (beth ydi *fish fingers*? Bysedd pysgod?) fel bysedd pysgod. (Mae hynny'n swnio'n od, ond roedd fy mysedd yn teimlo'n od, felly mae'n gywir). Ond roedd

---

piws	porffor	*polyn* (*eg*)	post, pole
chwythu	to blow	*cuddfan* (*eb*)	hide
math (*eg*)	type	*swnio*	to sound
cynnal	to hold		

Siôn mor hapus, do'n i ddim eisiau cwyno. A dw i ddim yn cael siarad beth bynnag, rhag ofn i mi ddychryn yr adar. Pa adar? Roedd pob aderyn call wedi aros gartre i wylio ffilm. Buon ni yno am oriau ac oriau. Ro'n i wedi sgwennu tair nofel, dwy ffilm a rhestr siopa yn fy mhen erbyn i Siôn benderfynu ei bod hi'n rhy dywyll i weld dim. Do'n i ddim wedi gweld unrhyw beth beth bynnag. Roedd y sbienddrych gynno fo bron trwy'r amser.

Dw i'n caru Siôn, ond mae o mor hunanol weithiau. Dan ni wedi bod yn gwylio adar bob penwythnos. Wel, bron iawn. Dan ni wedi teithio milltiroedd. Buon ni yng Nghernyw fis yn ôl, i weld rhywbeth o'r enw *Baird's Sandpiper*, neu bibydd y bardd. Ond roedd o'n edrych fel pob pibydd arall i mi – rhywbeth gwyn a brown a diflas. Ond dw i ddim eisiau cwyno, rhag ofn i Siôn fy ngadael i. Pathetig? Ydw. Ond fel 'na dw i'n teimlo. Dw i'n 39 y flwyddyn nesa, ac mae dynion yn brin. Mae pawb yn dweud fy mod i'n ferch lwcus iawn i gyfarfod â dyn fel Siôn. Cafodd mam sioc. *'But he's so good looking!'* meddai hi. Hy. Beth? Yn rhy olygus i ferch blaen fel fi? Dyna beth oedd hi'n ei feddwl, dw i'n gwybod. *'You'll have to keep on your toes to keep him, Blodwen dear,'* meddai hi. *'How's the diet going?'* Ast.

Dw i'n gwybod fy mod i'n dew, a dw i'n ceisio peidio â bwyta gormod, ond mae hi mor anodd. Pan dw i'n gwylio coed – sori, adar – dim ond siocled sydd yn

dychryn	to scare	*Cernyw*	Cornwall
call	sensible	*pibydd (eg)*	piper
sgwennu (GC)	*ysgrifennu*	*prin*	rare
sbienddrych (eg)	field-glass	*cyfarfod â* (GC)	*cwrdd â*
gynno fo[1]	gyda fe	*plaen*	plain
hunanol	selfish	*gast (eb)*	bitch

fy nghadw i i fynd. A chreision. Bwytais i diwb cyfan o *Pringles* ddoe – a *Mars bar* ar y ffordd adre yn y car. A bore heddiw, edrychais i yn y drych, a gweld – beth ydi *pimple*? Ie, ploryn – a gweld ploryn mawr coch ar fy ngên. Wrth gwrs, do'n i ddim yn gallu gadael llonydd iddo fo. O na. Allwn i ddim jest rhoi *Sudocrem* arno fo ac anghofio amdano fo. Na, byth. Gwasgais i fe – yn galed. Ond doedd o ddim yn barod i gael ei wasgu, a rŵan mae gen i bloryn mawr piws fel Cader Idris ar fy ngên, ac mae'n brifo. Ac mae gen i gur pen. O leia mae'r ploryn 'run lliw â fy nhrwyn i.

Ac roedd y car wedi rhewi'r bore 'ma ac ro'n i'n hwyr i'r gwaith. Ac wedyn, roedd y fan llyfrgell wedi rhewi hefyd, ac erbyn i'r ffenest (beth ydi *defrost*? O, dad-rewi. Dw i'n hoffi hynny. Swnio fel rhoi dad mewn rhewgell) – erbyn i'r ffenest ddad-rewi, ro'n i'n hwyr iawn. A do'n i ddim yn gallu gyrru oherwydd y rhew ar y ffordd, felly roedd gen i gwsmeriaid oer a blin iawn drwy'r dydd.

'Doedd Dei byth ar amser, ond doedd o byth mor hwyr â hyn,' meddai un. 'Hyd yn oed mewn eira,' meddai un arall. 'Os ca i ffliw, alla i eich siwio chi,' meddai un hen ddynes flin – a phiws iawn – 'eich bai chi fasai fo, yn gwneud i mi sefyll yn yr oerfel am hanner awr, a finnau'n 79. Mae'r peth yn *disgusting. I've a good mind to report you to the council.* Ond dyna fo, be dach chi'n ddisgwyl? *Women drivers . . .*'

---

creision (ll)	crisps	*blin*	annoyed
gadael llonydd i	to leave alone	*hyd yn oed*	even
gwasgu	to squeeze	*be' dach chi'n*	what do you
gên (eb)	chin	*ddisgwyl?*	expect?
mae gen i gur	*mae pen tost*		
pen (GC)	*'da fi (DC)*		

9

Ro'n i eisiau ei tharo hi ar ei phen gyda *Geiriadur yr Academi* (yr un trwm) ond roedd pobl eraill yn y fan.

A heno, agorais i'r oergell i wneud swper. Ond dim ond hanner jar o *mayonnaise*, tiwb o bâst garlleg ac un tomato hen iawn oedd yno. Ro'n i wedi anghofio mynd i siopa. Fel arfer, faswn i ddim yn poeni, baswn i'n cael tomato a *mayonnaise* ar dost (a phecyn o greision) (a hanner pecyn o *Ritz crackers*) ond mae Siôn yn byw gyda fi rŵan, ac mae o'n ddyn, ac mae o'n hoffi ei swper. A dydi o ddim yn llysieuwr. Dw i'n ceisio bod yn llysieuwraig, ond bob tro mae dyn yn dod i fy mywyd i, dw i'n bwyta cig. (Dw i ddim yn siŵr beth mae hyn yn ei olygu.) Felly es i allan i'r siop sglods a phrynu pysgod a sglodion i ni. Roedd Siôn yn hapus iawn.

'Grêt,' meddai fo, 'dw i ddim wedi cael *fish* a *chips* ers amser hir. Oes sôs coch 'da ti?' Agorais i'r cwpwrdd. Dim sôs coch. Felly rhoiais i'r *mayonnaise* iddo fo.

'Mae'n ddrwg 'da fi, Blod,' meddai fo, 'ond dw i ddim yn hoffi *mayonnaise*, cofio? Dim ots. Oes finegr 'da ti?' Agorais i'r cwpwrdd. Roedd gen i ddau fath o finegr. Finegr gwin coch, a balsamig.

'Ydi un o'r rhain yn iawn?' gofynnais i. Edrychodd o'n rhyfedd arna i, yna gwgu ac ysgwyd ei ben, a rhoi llawer iawn o halen dros ei sglodion.

'Wyt ti isio pwdin?' gofynnais i, ar ôl iddo fo orffen. Gwenodd o fel bachgen bach drwg.

'Rwyt ti'n ddigon o bwdin i mi, Miss Jones . . .'

---

taro	to hit	*sôs coch*	Ketchup
llysieuwr (eg)	vegetarian	*gwgu*	to frown
siop sglods	chip shop		

Wedyn, ar ôl y 'pwdin', ro'n i'n teimlo'n llawer gwell. Dw i'n hoffi cael dyn yn y tŷ – ar blât, *as it were*. Ond roedd hi'n anodd cusanu gyda thrwyn oedd yn rhedeg fel tap drwy'r amser.

Rhagfyr 4ydd Dydd Mawrth

Mae'r annwyd yn waeth. Dw i'n tisian bob munud, ac mae fy nhrwyn yn brifo. Ond es i i'r gwaith – neu basai Gwen yn cwyno fy mod i'n cymryd diwrnod i ffwrdd am ddim rheswm. Ond wrth gwrs, dw i methu ennill gyda Gwen.

'*Do you have to sneeze so much?*' meddai hi'n flin. '*Spreading your horrible germs everywhere,* ych a fi.'

Roedd y cwsmeriaid ar y fan yn twt-twtian hefyd. Meddai Mrs Phillips, sydd yn 76, ac sydd wedi darllen pob llyfr *Mills & Boon* yn y byd, 'Mae hen bobl fel ni'n *susceptible* iawn i *germs*, wyddoch chi. Fi, yn fwy na neb. Newydd gael *plastic hip*. Y peth ola dw i ei angen ydi *infection*. Ddylech chi ddim bod wedi dod i'r gwaith.'

A heno, pan ddaeth Siôn adre, ro'n i'n gobeithio cael fy nyrsio gynno fo. Ond na.

'Dim ond annwyd bach yw e,' meddai fo, 'cwpl o *paracetamols* a gwely cynnar a byddi di'n iawn. Reit, dw i bant i'r George am un bach. Gwela i di wedyn.' Ac i ffwrdd â fo.

Felly dw i wedi mynd i'r gwely, a dw i wedi rhoi *Olbas Oil* dros y cas gobennydd. Mae Siôn yn casáu'r arogl. Ha.

---

cusanu	to kiss	*bant (DC)*	allan
tisian	to sneeze	*cas gobennydd*	pillow case
wyddoch chi	you know	*arogl (eg)*	smell

Rhagfyr 5ed Dydd Mercher

Dw i'n teimlo ychydig yn well heddiw. Felly es i i'r wers Gymraeg. Roedd pawb yno fel arfer – Brenda, Jean, Roy, Michelle, Andrew a Menna wrth gwrs, a dyn newydd.

'Gwrandewch bawb,' galwodd Menna, 'mae gen i ddau gyhoeddiad – *announcement*; yn gynta, mae gynnon ni aelod newydd yn y dosbarth am ychydig. Dyma Bob – Bob Smith.'

'Helô,' meddai Bob.

'Helô,' meddai pawb, ac edrych arno fo gyda diddordeb. Roedd o tua 55, yn gwisgo sbectol, ac yn edrych yn swil iawn.

'Mae tiwtor y dechreuwyr yn sâl, felly mae Bob yn dod aton ni am ychydig,' meddai Menna.

'Ydw,' nodiodd Bob.

'Ble o'ch chi'n byw cyn dod yma?'

'*Pardon*?'

'Ble o'ch chi'n byw . . . *live* . . . *before coming here*?'

'*Oh yes, um* . . . dw i'n byw yn Nottingham.'

'Da iawn,' meddai Menna, '*we'll go over the past tense later on*. Croeso aton ni, Bob. Ac yn awr, yr ail gyhoeddiad . . .' Edrychodd hi ar Andrew, a gwenu. Roedd Andrew braidd yn binc, ac yn edrych ar ei esgidiau. Ond roedd Menna'n edrych yn hapus iawn, iawn. 'Cyhoeddiad pwysig iawn,' meddai hi. 'O'r diwedd, mae Andrew a fi'n priodi . . . ar Ragfyr 22, a dan ni eisiau i chi i gyd ddod i'r briodas.'

'O, *congratulations* – beth ydi hynny yn Gymraeg, Menna?' gofynnodd Jean.

---

swil   shy

'Llongyfarchiadau' meddai Menna.

'Llongyfarchiadau!' meddai pawb.

'O, gwych!' gwichiodd Brenda. 'Dw i eisiau prynu dillad newydd!'

Roedd pawb yn chwerthin a gwenu ac yn llongyfarch y ddau – ar wahân i Bob, oedd yn amlwg ddim yn deall beth oedd yn digwydd; a fi. Do'n i ddim yn gwybod beth i'w ddweud. Ond es i mewn i *automatic pilot*, gwenu a rhoi cwtsh fach i Menna (mae hi mor denau, gallech chi chwarae telyn ar ei – beth ydi *ribs*? – ei hasennau hi) ac yna troi at Andrew.

'Llongyfarchiadau,' meddwn i, ac estyn fy llaw.

'Diolch,' meddai fo'n dawel (sydd ddim fel Andrew) ac ysgwyd fy llaw.

Ro'n nhw wedi meddwl priodi fis Mai diwetha, ond cafodd Menna draed oer. Roedd hi eisiau byw gydag Andrew am dipyn i wneud yn siŵr.

'O'r diwedd,' meddwn i.

'Ie. Mae Menna'n credu ein bod ni'n barod y tro hwn.'

Roedd o'n mynd i ddweud rhywbeth arall, ond daeth Menna aton ni.

'Blodwen,' meddai hi, 'wnei di ffafr fawr â ni?'

O diar. Doedd hi ddim yn mynd i ofyn i mi fod yn (beth ydi *bridesmaid*?) – yn forwyn briodas, oedd hi? Dydi ffrils a fi ddim yn mynd yn dda efo'n gilydd.

'Wnei di ofyn i Siôn sgwennu cerdd i ni ar gyfer y briodas?'

---

gwichiodd	squeaked	*estyn llaw*	to hold out
ar wahân i	apart from		one's hand
amlwg	obvious	*ysgwyd llaw*	to shake hands
cwtsh fach	a hug	*o'r diwedd*	at last
telyn (eb)	harp	*ffafr (eb)*	favour
		cerdd (eb)	poem

'Cerdd?'

'Ie, mewn cynghanedd os yn bosib.'

'Ym, iawn. Gwna i ofyn.'

'Diolch. A phwy a ŵyr – efallai y bydd o'n sgwennu cerdd i'ch priodas chi cyn hir!'

'O ie. Efallai.'

Ac wedyn cawson ni'r wers. Ond do'n i ddim yn gallu canolbwyntio. Ro'n i'n meddwl am Siôn a fi'n priodi. Mmm. Ro'n i'n hoffi'r syniad. Priodas ddwbl, efallai? Na, baswn i eisiau'r sylw i gyd i mi fy hun. Basai Menna hefyd. Beth bynnag, mae Rhagfyr yn rhy oer. Mai neu Mehefin fasai'n neis. Ie. Yr adar yn caru a Siôn a fi'n priodi a gwneud ein nyth. Basai popeth yn hyfryd, a basai fo'n fy helpu i baentio'r nyth a dim ond mynd i wylio adar weithiau. Basai fo'n siŵr o newid ar ôl priodi. A tasai Blodwen/Siôn bach yn cyrraedd, fasai dim amser i ni fynd i wylio *blincin'* adar.

Do'n i ddim eisiau mynd i'r dafarn ar ôl y wers, ond roedd pawb arall yn mynd, felly es i hefyd. A Bob.

Bob druan. Doedd o ddim yn deall neb, a doedd neb yn ei ddeall o. Roedd Brenda'n cwyno:

'Bydd o'n ein cadw ni 'nôl, *it's just not right*.' Ond roedd o'n eistedd yno gyda gwên fawr (a sudd tomato) drwy'r amser, felly roedd hi'n anodd peidio â'i hoffi. Pan adawodd o, gwaeddodd o 'Hwyl!' dros y lle. Ond yn anffodus, roedd ei ynganu'n rhyfedd. Dydi o ddim yn gallu dweud yr 'l' yn iawn, na'r 'wy', felly roedd

---

cynghanedd	strict metres	*Bob druan*	poor Bob
pwy a ŵyr	who knows	*sudd tomato*	tomato juice
canolbwyntio	to concentrate	*gadawodd o*	he left
sylw (eg)	attention	*gwaeddodd o*	he shouted
nyth (egb)	nest	*ynganu*	pronunciation

14

o'n swnio mwy fel 'Hoyw!' Edrychodd pawb yn syn arno fo. Pawb – yn cynnwys y bois rygbi a'r tîm darts. Gadawodd Bob, a dechreuodd pawb chwerthin. Bob druan.

Rhagfyr 7fed Dydd Gwener

Y bore 'ma, dywedais i wrth Siôn am y briodas.

'O, neis iawn,' meddai fo, a darllen mwy o'i *Bird World*. Doedd o ddim wedi cynhyrfu llawer.

'Ac maen nhw eisiau i ti sgwennu cerdd iddyn nhw.'

'O.'

'Wel? Wyt ti'n mynd i wneud un?'

'Os caf fi amser. O ie, anghofiais i ddweud: dyn ni'n mynd i noson farddol yfory.'

'Ni?'

'Ie. Mae tri ohonon ni wedi cael gwahoddiad i ddarllen ein cerddi mewn tafarn yng Nghaernarfon.'

Oedd o'n sôn am 'ni' – fi a fo, neu 'ni' – y tri bardd? Oedd o eisiau i mi fynd hefyd?

'Wyt ti eisiau i mi ddod hefyd?'

'Os wyt ti moyn.'

Beth roedd hynny'n ei feddwl? Dw i'n gwybod mai gair y de am 'eisiau' ydi 'moyn,' ond beth roedd y frawddeg yn ei feddwl? Ei fod o eisiau i mi aros gartre, ond doedd o ddim eisiau dweud hynny? Ei fod o eisiau i mi ddod, ond ei fod o'n methu siarad yn syml a dweud 'ydw'? Neu ei fod o'n dweud y gwir, a bod croeso i mi ddod os o'n i eisiau dod? Mae ceisio deall dynion fel

---

hoyw	gay	*wedi cynhyrfu*	excited
yn syn	surprised	*noson farddol*	poetry evening
yn cynnwys	including	*methu*	to be unable

gwneud croesair y *Times*, weithiau. Ac mae'r cwbl fel *anagrams*. A dw i byth yn gallu gwneud *anagrams*.

'Wyt ti eisiau i mi ddod?' gofynnais i.

'Wel . . . basai'n braf taset ti'n gallu gyrru . . .' meddai fo gyda gwên. O, dw i'n deall rŵan. Yr unig reswm mae o eisiau i mi ddod ydi er mwyn iddo fo gael yfed. Hy!

'Dydi hynny ddim yn deg,' meddwn i. 'Fi sydd yn gorfod gyrru bob tro.'

'Dwyt ti byth eisiau yfed.'

'Ydw! Ti sydd byth eisiau gyrru!'

'O, dw i'n gweld. Ond bydd rhaid i mi gael peint neu ddau cyn perfformio, i setlo'r nerfau,' meddai fo gyda gwên.

'Iawn. Cawn ni dacsi.'

'Yno ac yn ôl? Bydd hynny'n costio ffortiwn!'

'Beth am i ni aros yno 'te?'

'Yng Nghaernarfon?'

'Ie. Pam lai? Mewn gwesty bach neis.'

'Ond basai hynny'n fwy drud na thacsi!'

'Ond basai fo'n newid . . . a bacwn ac wy yn y bore . . .'

Bingo. Ro'n i wedi llwyddo. Roedd o'n gwenu. Roedd Mam yn iawn. Dyna'r ffordd i drin dynion – siarad am eu stumogau.

'Iawn. Trefna di fe 'te.'

Felly dw i wedi llogi ystafell ddwbl *en-suite* i ni ar gyfer nos fory. Dw i'n edrych ymlaen. Bydd hi fel . . .,

---

croesair (eg)	crossword	*gwên (eb)*	smile
er mwyn	in order	*trin*	to handle
teg	fair	*llogi*	to hire
gorfod	to have to		

beth ydi *honeymoon*? Ooo . . . dyna neis: mis mêl. Mis cyfan? Pythefnos ydi o fel arfer dw i'n siŵr. Efallai bod y Cymry'n fwy rhamantus yn y gorffennol, pan ddechreuodd pobl fynd ar fis mêl . . . Ie, efallai y bydd hyn yn fis mêl cyn ein priodas.

Dw i newydd ddarllen am y Maldives mewn cylchgrawn. A dw i newydd lenwi'r ffurflen gystadlu i ennill gwyliau yno. Basai'r Maldives yn lle hyfryd i gael mis mêl.

Rhagfyr 9fed Dydd Sul

Mis mêl? Mwy o noson *Marmite*. Roedd o'n ofnadwy. Roedd y gwesty'n drewi o fresych, ac roedd y gwely'n fach. Gwely dwbl? I ddau gorrach, efallai. Ond wnaethon ni ddim sylweddoli hynny tan nes ymlaen. Gwell dechrau yn y dechrau:

Cyrhaeddon ni'r dafarn lle roedd Siôn yn perfformio am wyth. Roedd y peth i ddechrau am hanner awr wedi wyth. Ond doedd neb yno am wyth, dim ond Siôn, fi, y trefnydd a'r ddynes y tu ôl i'r bar. Am hanner awr wedi wyth, cyrhaeddodd tair myfyrwraig ac un hen ddyn. Am chwarter i naw, cyrhaeddodd y ddau fardd arall. Ro'n nhw'n gwenu fel giatiau, yn chwerthin llawer ac roedd eu llygaid yn rhyfedd – yn rowlio yn eu pennau.

'Maen nhw off eu pennau ar rywbeth . . .' meddwn i.

cyfan	whole	*bresych* (*ll*)	cabbages
cylchgrawn (*eg*)	magazine	*corrach* (*eg*)	dwarf
llenwi	to fill	*sylweddoli*	to realise
ffurflen (*eb*)	form	*trefnydd* (eg)	organiser
cystadlu	to compete	*dynes* (*GC*)	
drewi	to reek		*benyw* (*DC*)

'Wel? Beirdd ydyn nhw,' meddai fo, 'cofia am Coleridge a Lord Byron.'

'Be? Wyt ti'n ceisio dweud bod pob bardd yn *drug addict*?'

'Paid â bod yn wirion. Sut mae, bois, be dych chi moyn?' Ac aeth o i siarad â nhw wrth y bar. Drwy'r nos. Bues i'n siarad â'r trefnydd, oedd yn edrych ar ei oriawr o hyd, ac yn sylweddoli nad ydi nos Sadwrn yn noson dda i gynnal noson farddol. Am ddeg, penderfynodd o y dylen nhw ddechrau perfformio, er bod y lle bron yn wag. Ac erbyn hynny, roedd y tri bardd 'off eu pennau'. Sais oedd un ohonyn nhw, ac roedd ei ffordd o o adrodd ei gerddi yn hollol wahanol i'r ddau arall. Roedd saib rhwng bob dau air, a phob trydydd gair octef yn uwch na'r gweddill.

'Pam fod o'n siarad fel'na?' gofynnais i i'r trefnydd.

'Fel 'na maen nhw'n perfformio yn Lloegr,' atebodd o.

'O. Pam?'

'Dw i ddim yn siŵr. Er mwyn i bobl wybod mai barddoniaeth ydi hi?'

Hm.

Doedd Siôn ddim yn dda iawn. Roedd o'n mymblan ac yn chwerthin ar ei jôcs ei hun. Roedd gynno fo ffeil o'i gerddi, ond do'n nhw ddim mewn trefn. Roedd o'n fflicio 'nôl a mlaen am amser hir yn chwilio am bob cerdd. A dweud y gwir, roedd o braidd yn ddiflas. Ac aeth o ymlaen yn rhy hir. Dw i'n meddwl bod barddoniaeth fel *Banoffee Pie* – blasus iawn mewn darnau bach, ond os dach chi'n bwyta gormod, dach chi

---

gwirion	silly	*yn uwch*	higher
oriawr (*eb*)	watch	*gweddill* (*eg*)	rest
saib (*eg*)	pause	*trefn* (*eb*)	order

byth eisiau gweld *Banoffee Pie* eto. Ond alla i ddim dweud hynny wrth Siôn.

Ar y diwedd, daeth Siôn ata i a gofyn:

'Wel? Beth ro't ti'n feddwl?'

Dw i'n berson gonest, ac ro'n i wedi cael pump *G&T*, felly ro'n i'n onest iawn.

'Wel, ro't ti'n mymblan tipyn bach a ddylet ti ddim chwerthin ar dy jôcs dy hun. A phan o't ti'n fflicio 'nôl a mlaen am hir rhwng pob cerdd, roedd o braidd yn ddiflas.'

Tawelwch.

'Beth? Ro'n i'n ddiflas?'

'Dim ond weithiau.'

'Ond mae pawb arall yn dweud fy mod i'n dda iawn.'

'O. Wel . . .'

'Wel,' meddai fo, gan afael yn ei beint, 'mae'n amlwg dy fod ti'n gwybod dim am farddoniaeth.' Ac aeth o 'nôl at y ddau fardd arall. Ac aros yno. Dyna pryd gwnes i gofio un arall o reolau Mam: mae merch i fod i ganmol ei chariad bob amser. O diar. *Blown it again*, Blodwen. Felly ces i dri *G&T* arall. Efallai pedwar, dw i ddim yn cofio.

Ar ôl stop tap, aeth pawb am fwyd Indian. Wel, y tri bardd a fi. A phan ddeallodd y ddau fardd mai dysgwraig o'n i, ro'n nhw'n wahanol. Efallai mai fi sy'n baranoid, ond dw i'n siŵr eu bod nhw wedi colli diddordeb mewn sgwrsio efo fi. Wedyn roedd y tri yn siarad am gynganeddu drwy'r amser, felly bwytais i'r

---

tawelwch (*eg*)	silence	*cynganeddu*	to write in
gan afael	taking hold of		strict metres
canmol	to praise		

poppadoms i gyd tra o'n nhw'n *bullshitting about something* 'o gyswllt' and 'proesting,' *whatever that is. And when we came back, Siôn was on the floor, out cold. Yes, I'm too tired and hungover to write in Welsh any more.*

Nos da.

Rhagfyr 10fed Nos Lun

Dw i'n teimlo'n well heddiw. Wel, ychydig bach. Does dim llawer mwy i'w ddweud am nos Sadwrn, dim ond bod Siôn wedi cysgu ar y llawr drwy'r nos (roedd hi'n amhosib ei ddeffro), ac erbyn i ni'n dau ddeffro, ro'n ni'n rhy hwyr i gael brecwast. Felly roedd Siôn yn flin. A fi gafodd y bai am beidio â rhoi'r cloc larwm ymlaen. Hy! Felly, na, dim nwci. Dim mis mêl. Dim byd.

A dydi Siôn a finnau ddim wedi siarad llawer heno. Dydi o ddim yn teimlo'n dda, ac mae o wedi mynd i'w wely.

Beirdd . . . pam dw i'n mynd allan gyda beirdd? Dylwn i fod wedi dysgu fy ngwers ar ôl Llew Morgan. Dw i eisiau trydanwr neu blymar y tro nesa. Os bydd tro nesa.

Rhagfyr 11eg Nos Fawrth

Aeth Siôn ddim i'r gwaith heddiw.

'Dw i'n dost,' meddai fo.

'O Siôn,' meddwn i, 'dim ond annwyd ydi o.'

'Mae hyn llawer gwaeth nag annwyd – mae'r ffliw arno i . . . neu efallai taw *meningitis* yw e . . . neu *brain tumour* neu rywbeth. Dw i'n marw, Blodwen . . .'

---

deffro to wake *trydanwr (eg)* electrician

Beth ydi *drama queen* yn Gymraeg? Dw i'n gwybod mai annwyd sydd arno fo. Dynion . . . Roedd Dad bob amser yr un peth – a phob cariad dw i erioed wedi'i gael. Dydi merched byth yn cael bod mor sâl â dynion.

Felly es i i'r llyfrgell a gadael i Siôn farw.

Roedd o'n dal yn fyw pan ddes i adre, yn gorwedd ar y soffa, yn ceisio edrych fel Miss Haversham allan o *Great Expectations*. Ac roedd y llawr yn hancesi papur i gyd. Hy. O leia pan mae annwyd arna i, dw i'n cael annwyd taclus.

'Wyt ti'n meddwl y dylet ti ffonio'r doctor, Blodwen?' gofynnodd o. 'Rhag ofn?'

'Rhag ofn beth? Bod gynno fo ddim byd gwell i'w wneud?' meddwn i. 'Annwyd sydd arnat ti, Siôn! Af i i wneud *Lemsip* i ti rŵan.'

'Does dim ar ôl . . .' meddai fo'n bathetig, 'dw i wedi cwpla'r bocs.'

'O, Siôn!'

'Ie, dw i'n gwybod. Blodwen . . .?'

'Ie?'

'Wyt ti'n meddwl ei bod hi'n bosib overdosio ar *Lemsip*?'

Honestly. Roedd edrych ar ôl gafr yn llai o drafferth nag edrych ar ôl dyn.

Oer iawn heno. Dw i'n gwisgo fy mhyjamas *flannelette* a sanau gwely. Dim pwynt ceisio bod yn rhywiol efo dyn sy'n marw.

---

taclus	tidy	*gafr (eb)*	goat
cwpla	*gorffen*	*rhywiol*	sexy

21

Rhagfyr 12fed Nos Fercher

Mae Siôn yn well. Pan ddeffrais i'r bore 'ma, roedd o'n cusanu fy nghlust i, a dw i ddim yn dweud ble roedd ei ddwylo fo. Pwy sy'n dweud bod pyjamas *flannelette* ddim yn rhywiol? Ond doedd gen i ddim amser i chwarae, neu baswn i'n hwyr i'r gwaith eto. A bod yn onest, do'n i ddim eisiau chwarae beth bynnag.

Gwers Gymraeg heno. Roedd Menna'n siarad am y briodas. Drwy'r amser. Cafodd pawb wahoddiad swyddogol – a'r rhestr anrhegion. Mae'n rhestr hir iawn. Ac mae'n rhaid bod gan Menna ac Andrew deuluoedd a ffrindiau sydd â digonedd o arian. Mae chwaraewr DVD ar y rhestr, a theledu sgrîn lydan, set barbeciw, gitâr a phabell.

'Mae hyn yn wahanol iawn. Beth ddigwyddodd i lestri te a gwydrau?' gofynnodd Jean.

'Mae gynnon ni ddigon o'r rheiny,' eglurodd Menna. 'Mae'r oes wedi newid – *times have changed* – mae Andrew a fi yn ein tridegau, a dan ni wedi prynu'r pethau dan ni eu hangen dros y blynyddoedd. Felly dan ni'n gofyn am *luxury items.'*

'*Luxury* . . . rwyt ti'n dweud wrtha i,' meddai Brenda dan ei gwynt, 'does dim byd yma o dan £50. Edrych – mae hyd yn oed y dillad gwely yn gorfod bod yn *Egyptian cotton!'*

'Ro'n i eisiau gofyn i bawb roi arian i ni, er mwyn i ni gael mis mêl yn Mystique,' meddai Menna, 'ond doedd Andrew ddim yn cytuno â fi.'

---

swyddogol	official	*gwydrau (ll)*	glasses
sgrîn lydan	wide screen	*dan ei gwynt*	under her
pabell (eb)	tent		breath

'*I should think so and all!*' sibrydodd Brenda. '*The bloody cheek of it!*' Ond dydi Brenda ddim yn gallu sibrwd. Dw i'n meddwl bod Andrew wedi clywed, achos aeth ei wyneb ychydig bach yn goch.

'Ro'n i eisiau gofyn i bobl dalu i blannu coed,' meddai Andrew gyda gwên fach, 'er mwyn lleddfu'r niwed ecolegol y basai ein priodas yn ei greu. Petrol yr awyren, y *napkins*, y gwahoddiadau, y –'

'*Pardon?*' gofynnodd Jean.

'*To offset the ecological damage caused by our –*'

'Ond tynnu fy nghoes i oedd o, wrth gwrs!' chwarddodd Menna. Edrychais i ar wyneb Andrew. Dw i ddim yn meddwl mai tynnu coes oedd o. Chwarae teg. Mae Andrew'n ddyn mor . . . beth ydi *considerate*? – ystyriol.

'Mae priodi wedi mynd yn fusnes drud iawn,' meddai Menna.

Ydi, ar gyfer y gwahoddedigion, ro'n i eisiau dweud. Ond ddwedais i ddim byd.

Dw i ddim yn gwybod beth i'w gael iddyn nhw. Mae'n beth ofnadwy i'w ddweud, dw i'n gwybod, ond dw i eisiau prynu rhywbeth i Andrew, nid i Menna.

'Ti sydd eisiau'r gitâr?' gofynnais i iddo fo.

'Wel . . . ie,' meddai fo.

'Do'n i ddim yn gwybod dy fod ti'n gallu chwarae'r gitâr.'

'Dw i ddim. Dim ond tri chord.'

'O. Eisiau dysgu wyt ti?'

'Ie. A do'n i ddim yn gallu meddwl am unrhyw beth arall ro'n i ei eisiau. Does gen i ddim diddordeb mewn

---

sibrwd	to whisper	*creu*	to create
plannu	to plant		

dillad gwely *Egyptian cotton*, a dw i ddim yn gwybod pwy ydi Trevor Sorbie.'

'Pwy?'

'Yn hollol.'

Do'n i ddim yn deall, ond doedd dim ots. Dw i'n aml ddim yn deall Andrew.

Dyna pam dw i'n ei hoffi o.

'Faint mae gitâr yn ei gostio?' gofynnais i i Roy ar ôl y wers. Mae o'n gwybod popeth am gerddoriaeth.

'Acwstig?'

'Ie, dw i'n meddwl.'

'Wel . . . mae rhai crap yn £60. Mae un da tua £150.'

'Faint?!'

'Gallet ti brynu set o *strings* iddyn nhw. Mae'r rheiny tua £5.'

'Ha ha. Doniol iawn, Roy.'

Dw i ddim yn gwybod beth i'w brynu iddyn nhw. Efallai llyfr *How to be a domestic goddess*. Ond mae Menna'n siŵr o fod yn *domestic goddess* yn barod. A does gen i ddim syniad beth i'w wisgo chwaith. Pam mae'r briodas hon yn creu cymaint o straen i mi? Nid fi sy'n priodi.

Yn y dafarn wedyn, roedd Bob yn eistedd wrth fy ymyl i, efo'i sudd tomato a gwên.

'Dach chi'n priodas?' gofynnodd o i mi ar ôl ychydig.

'Fi? Na, Menna ac Andrew sy'n priodi.'

'Ie, na, dw i'n gwybod. Dach chi?'

'Ydw, dw i'n gwybod eu bod nhw'n priodi. Dyma'r gwahoddiad.' A dangosais i'r cerdyn iddo fo.

'Na,' meddai fo'n amyneddgar, 'dach chi'n priodi?'

---

yn amyneddgar   patiently

24

'Ydw i'n priodi? Ym . . . na, dim cynlluniau ar hyn o bryd.'

'Dw i ddim yn priodi chwaith,' meddai fo gyda winc – a gwên fawr arall. 'Dach chi eisiau *drink* arall?'

'Fi? O. Wel . . . iawn. Diolch yn fawr. Hanner o seidr sych, os gweli di'n dda Bob.'

Gwenodd o, codi, a mynd at y bar.

'Gwell i ti nôl dy gôt, Blodwen,' meddai Jean.

'Fy nghôt? Pam?'

'I think you've pulled . . .'

'Beth?! Pwy?'

'Bob wrth gwrs!' chwarddodd Jean.

'Mae o wedi bod yn gwenu arnat ti drwy'r nos,' meddai Roy.

'Paid â bod yn wirion,' meddwn i, 'mae o'n gwenu ar bawb.'

'Ia, ond dydi o ddim wedi prynu diod i bawb . . .' meddai Brenda.

'Dw i ddim yn meddwl ei fod o wedi prynu diod i ti chwaith Blodwen,' meddai Roy, 'edrych.'

Edrychodd pawb i gyfeiriad y bar. Roedd Bob yn amlwg yn cael trafferth.

Roedd o'n pwyntio a chwifio a chodi ei lais, tra oedd y dyn y tu ôl i'r bar yn edrych yn wirion arno fo.

'O-o. Af fi i weld beth sy'n bod,' meddai Andrew.

Daeth o 'nôl cyn hir, gyda fy seidr i yn ei law, a Bob efo bochau coch yn ei ddilyn fel ci bach.

'Beth oedd y broblem?' gofynnodd Brenda.

---

cynlluniau (ll)	plans	*chwifio*	to wave
i gyfeiriad	in the direction of	*bochau (ll)*	cheeks
		dilyn	to follow

'Problem ynganiad,' atebodd Andrew gyda gwên. 'Roedd o'n ceisio gofyn am seidr *sick* . . .'

Bob druan. Roedd o'n edrych yn reit *sick* ei hun.

Rhagfyr 13eg Nos Iau

Dw i wedi cael wythnos ddiflas iawn hyd yma. Mae hi'n bwrw glaw drwy'r amser, felly mae Siôn a fi yn y tŷ o hyd. Ac mae fy nhŷ i'n rhy fach i ddau. Mae Siôn yn dechrau mynd ar fy nerfau i. Mae ei lyfrau a'i ddillad a'i stwff o ym mhobman. Dw i'n baglu dros ei esgidiau o bob tro dw i'n ceisio dod drwy'r drws. Ac mae o'n gadael bagiau te gwlyb ar y *worktop* yn lle eu rhoi yn y bin sbwriel. Pam? Dw i ddim yn deall. A dydi o byth yn glanhau'r bàth ar ei ôl – na'r sinc ar ôl siafio. Mae'n ffiaidd. Ac mae'r drych yn y stafell ymolchi bob amser yn llawn o smotiau past dannedd. Beth mae o'n ei wneud pan mae o'n glanhau ei ddannedd?! A dydi o byth yn rhoi rholyn newydd o bapur yn y tŷ bach. Ydi o'n meddwl mai tylwyth teg y tŷ bach sydd yn newid y rholyn bob tro? Hefyd, dydi o byth yn gwneud dim byd cynhyrfus. Mae o wedi mynd tipyn yn ddiflas. Mae pawb yn dweud bod angen gweithio ar berthynas. Felly dw i'n ceisio gweithio ar y berthynas yma. Ond pam ydw i'n teimlo mai fi sy'n gwneud y gwaith i gyd?

Ro'n i eisiau gwylio ffilm heno: *Sleepless in Seattle*. Dw i wrth fy modd efo'r ffilm yna. Ond roedd Siôn eisiau gwylio'r pêl-droed. Hy. Teledu fi.

---

ynganiad (eg)	pronunciation	*tylwyth teg*	fairies
baglu	to trip	*cynhyrfus*	exciting
ffiaidd	disgusting		

Tŷ fi. Sori – na, fy nheledu i. Fy nhŷ i. Felly tynnais i fy nhafod ar fy nghariad i (doedd o ddim yn gallu gweld) a mynd i fy llofft i ddarllen *Seren wen ar gefndir gwyn*. Mae o ar y sylabws Lefel A. Roedd Menna'n meddwl y baswn i'n ei hoffi o. Dw i'n meddwl bod Menna'n meddwl fy mod i'n glyfar neu rywbeth, oherwydd dw i ddim yn deall y llyfr o gwbl. Neu efallai ei bod hi'n ceisio gwneud i mi deimlo'n dwp. Na, Blodwen, dydi hynny ddim yn beth neis i'w feddwl. Stopia. Wrth gwrs dydi Menna ddim yn hen ast mor slei â hynny.

O, dw i newydd gofio. Mae Menna'n cael ei pharti cywennod nos fory (dyna ydi *hen night* yn Gymraeg meddai Menna). Ieir bach ifanc ydi cywennod. (Ond dydi'r ieir yma ddim yn ifanc iawn.) Gofynnodd hi i ferched y dosbarth Cymraeg o'n ni eisiau mynd. Do'n i ddim eisiau mynd o gwbl, dw i ddim yn hoffi pethau fel yna, ond roedd Brenda a Jean eisiau mynd, felly roedd hi'n anodd iawn i Michelle a fi wrthod. Dan ni'n gorfod bod yn y George nos fory am chwech. Chwech! Ar ôl dod yn ôl o'r gwaith, fydd dim amser i fi gael cawod, gwneud fy ngwallt, gwneud swper, bwyta swper ac ymbincio. Bydd rhaid gwneud heb swper, neu beidio â chael cawod. Ond dw i ddim yn hoffi mynd allan heb gael cawod. A dw i ddim yn hoffi yfed heb gael swper chwaith. O diar.

Mae HRH mewn tymer rhyfedd. Dw i'n meddwl ei bod hi'n dechrau blino ar Siôn hefyd. Fel adarwr, dydi o ddim yn hoff iawn o gathod beth bynnag, felly dydi

---

tynnu tafod ar	to stick one's tongue at	*ieir* (*ll*)	hens
llofft (*eb*) (*GC*)	*ystafell wely*	*ymbincio*	to get made up

27

eu perthynas nhw ddim yn wych. Ond dywedais i o'r dechrau: 'Caru fi, caru fy nghath.' Felly roedd o'n gwneud ei orau efo hi. Ac roedd HRH yn bihafio yn rhyfeddol o dda. Ond yn ddiweddar, mae hi wedi mynd yn od eto. Un munud, mae hi'n eistedd yn dawel o flaen y tân, a'r munud nesa, mae hi'n rhedeg o gwmpas y tŷ fel ffŵl, yn neidio oddi ar y *landing* ac yn ceisio dringo'r waliau, gyda golau gwyllt yn ei llygaid.

Mae Siôn yn dweud ei bod hi'n *psycho*, neu'n sgitsoffrenig (edrychais i yn y geiriadur) ond dw i'n cofio darllen rhywbeth yn y *Reader's Digest* am hyn un tro. Mae'n debyg bod cathod a dynion yn debyg iawn, a phan mae cath yn mynd yn wallgof fel hyn, mae o fel hwliganiaeth pêl-droed. Mae dynion a chathod yn helwyr naturiol, a phan maen nhw'n byw bywyd tawel, llonydd am hir, mae rhywbeth y tu mewn iddyn nhw yn (beth ydi *to explode*?) – yn ffrwydro. Felly mae cathod yn bihafio fel tasen nhw'n mynd i ymosod ar lygoden neu rywbeth, ac mae dynion ifanc yn ymosod ar gefnogwyr tîmau pêl-droed eraill. Felly dydi HRH ddim yn *psycho*. Hwligan ydi hi.

Rhagfyr 15ed Bore Sadwrn

Yyyyyyy. Dw i ddim yn teimlo'n dda iawn. Dw i wedi bod yn sâl drwy'r nos. Wnes i ddim yfed llawer, gan fy mod i eisiau mynd i siopa am ddillad y pnawn 'ma. Roedd Menna'n meddwl fy mod i'n yfed *G&T,* ond dŵr oedd o. Wel, weithiau. Na, y *kebab* ges i ddiwedd y noson oedd y drwg, dw i'n meddwl. O diar. Rhaid i mi fynd i'r tŷ bach eto.

---

llonydd   quiet   *ymosod ar*   to attack

Dw i 'nôl, a dw i wedi cael *Alka Seltzer* arall. Iawn, beth ddigwyddodd neithiwr? O ie, y George am chwech. Roedd tua 15 o ferched yno i gyd, ffrindiau coleg Menna oedd y rhan fwya ohonyn nhw. Ro'n nhw wedi ei gwisgo hi mewn wìg cyrliog pinc, welintyns pinc, pais binc, *veil* a rhoi *ball and chain* am ei choes. (Dw i methu dod o hyd i *ball and chain* yn y geiriadur. Pêl a tsiaen, efallai?) Roedd hi'n edrych yn wirion, a doedd hi ddim yn hapus. Dydi Menna ddim yn hoffi edrych yn wirion. Roedd hi'n eitha blin a dweud y gwir. Ond roedd ei ffrindiau hi'n benderfynol. Ac ar ôl chwech *G&T*, doedd hi ddim yn edrych cweit mor flin.

Beth bynnag, am 6.30, cyrhaeddodd y bws mini. Y bwriad oedd taith i Ben Llŷn, gan alw mewn tafarndai ar y ffordd. Ond ar ôl galw ym Mangor, y Felinheli a Chaernarfon, ac aros i 15 merch fynd i'r tŷ bach bob tro, roedd hi'n 10.15, felly doedd dim pwynt symud ymlaen. Felly aethon ni ddim pellach na Chaernarfon. Roedd o leia tri chriw arall yno ar noson cywennod, ac aeth pawb i'r clwb nos. Dw i ddim yn hoffi clybiau nos. Maen nhw'n llawn o ddynion yn edrych ar y merched fel tasen nhw'n ddarnau o gig. Ac mae'r merched bron i gyd yn dangos llawer gormod o gig. Roedd rhai'n gwisgo pethau oedd yn edrych fel bicinis. Ac mae hi'n fis Rhagfyr!

Beth bynnag, roedd ffrindiau coleg Menna'n swnllyd iawn (nyrsys ac athrawesau ydyn nhw) ac wedi meddwi'n ofnadwy. Ond roedd Menna'n waeth na neb wrth gwrs. Roedd rhywun wedi dwyn y wìg, felly roedd ei gwallt hi'n edrych yn ofnadwy, ac roedd ei minlliw hi dros ei hwyneb i gyd. Roedd ei mascara hi wedi

---

bwriad (eg)   intention   *minlliw (eg)*   lipstick

rhedeg, felly roedd hi'n edrych fel panda, ac roedd hi wedi disgyn i lawr y grisiau am fod y welintyns yn rhy fawr iddi hi. Ro'n i'n dechrau mwynhau fy hun.

Ond wedyn, daeth plismon i mewn i'r clwb. Dringodd o ar ben y llwyfan, a gafael ym meic y DJ. Roedd o'n arestio Menna am fod yn *drunk and disorderly*. Roedd Menna'n edrych yn ofnus iawn – nes i'r plismon ddechrau tynnu ei helmed . . . a'i siaced . . . a'i drowsus. Wedyn roedd hi'n edrych yn ddryslyd iawn. *Stripogram* oedd o, wrth gwrs, un cyhyrog iawn, ac roedd Menna yn gorfod rhoi olew babi drosto fo – i gyd. Roedd hi wedi dechrau gwenu erbyn hyn, ac yn amlwg yn mwynhau ei hun. Wedyn rhoiodd hi gusan fawr, hir i'r plismon. A dyna'r tro ola i ni ei gweld hi – a'r plismon. Buon ni'n aros yn y bws am hir, ond doedd dim golwg ohoni hi. O diar. Gobeithio ei bod hi'n iawn.

Dw i'n teimlo'n well rŵan. Diolch byth, mae'n rhaid i mi fynd i siopa neu fydd gen i ddim dillad ar gyfer y briodas. Newydd feddwl . . . gobeithio y bydd priod-ferch ar gyfer y briodas . . .

Nos Sadwrn

Es i i Landudno yn y diwedd, a dw i wedi prynu dillad ar gyfer y briodas. Siwt: sgert a siaced (*single breasted* – mwy *slimming*) coch, a thop oren. Mae'n swnio braidd yn (beth ydi *bright*?) – llachar, ac ydi, mae o'n llachar. Dw i'n teimlo fel bod yn llachar. Ac mae gen i glust-dlysau mawr oren i fatsio. Dim ond un broblem:

---

disgyn	to fall	*cyhyrog*	muscular
llwyfan (egb)	stage	*clust-dlysau (ll)*	earrings
dryslyd	confused		

yr esgidiau. Dw i ddim yn gallu fforddio prynu pâr newydd o esgidiau hefyd. Roedd pris y siwt yn ddigon i roi sioc ofnadwy i mi. Felly ar ôl dod yn ôl, bues i'n gwisgo fy esgidiau i gyd, gyda'r siwt, o flaen y drych. Ond do'n i ddim yn gallu penderfynu. Felly gofynnais i Siôn, oedd yn gwylio Bill Oddie ar y teledu.

'Siôn? Pa esgidiau sy'n mynd efo'r siwt yma?'

'Y? Pam wyt ti'n gofyn i mi?'

'Am fod gen ti bâr o lygaid.'

'Wel, dw i ddim yn gwybod ydw i? Dw i ddim yn *expert* ar esgidiau. Tri phâr o esgidiau sydd 'da fi, mae 'da ti o leia tri deg. Merched . . . chi bob amser yn gofyn i ddynion pa esgidiau sy'n mynd 'da beth, a dyn ni byth yn gwybod!'

Hm. Ddylwn i ddim gofyn cwestiynau dwl i bobl ddwl. Ond dw i ddim yn gallu penderfynu rhwng y *stilettos* coch a'r fflip fflops oren o hyd. Ond efallai y bydd fflip fflops yn oer ym mis Rhagfyr. Ac mae *stilettos* yn gwneud i mi edrych yn dalach – ac yn fwy tenau. Ond dw i ddim yn gallu cerdded ynddyn nhw'n dda iawn. Ar adegau fel hyn dw i angen Mam.

Bues i'n prynu anrhegion Nadolig hefyd. Siwmper golff i Dad a stwff *Clinique* i Mam. Ond dw i ddim yn gwybod beth i'w gael i Siôn. Ro'n i wedi meddwl prynu siwmper golff iddo fo hefyd, ond does gynno fo ddim diddordeb mewn dillad na golff. Alla i ddim prynu offer gwylio adar iddo fo oherwydd bod popeth gynno fo'n barod. Dydi o ddim yn darllen llawer chwaith (dw i'n gweld hyn yn beth rhyfedd iawn gan ei fod yn fardd) a dw i ddim yn gallu fforddio'r pethau dw i'n gwybod y basai fo'n eu hoffi: camera digidol,

---

dwl   stupid

chwaraewr DVD ayyb. A beth os ydi rhieni Siôn yn rhoi anrheg i mi? Ddylwn i gael rhywbeth iddyn nhw rhag ofn? Ond beth? Mae'r Nadolig wedi mynd yn niwsans. O, am gael bod yn blentyn eto, pan oedd y Nadolig yn hwyl, yn gynhyrfus ac yn syml. Pan oedd Siôn Corn yn gofalu am anrhegion pawb, pan oedd y *Wizard of Oz* yn newydd (wel, i fi), a phawb yn gadael i fi dynnu'r cracyrs i gyd.

Dw i ddim hyd yn oed yn gwybod ble bydda i ar ddydd Nadolig. Yma efo Siôn? Ond efallai y bydd o eisiau mynd adre at ei deulu yn y de. A bydd Mam a Dad siŵr o fod yn disgwyl i mi fynd atyn nhw yn Birmingham. Dyna beth sy'n digwydd fel arfer. Gallwn i ofyn iddyn nhw i gyd ddod yma, ond does dim lle. Dim ond lle i Siôn a fi sydd o amgylch y bwrdd bwyd, ac mae'n rhaid symud y soffa er mwyn gwneud hynny! Dw i eisiau tŷ newydd. Dw i eisiau bywyd newydd. Ac efallai esgidiau newydd hefyd. A Siôn Corn mawr cryf i ofalu amdana i.

Mae'r Siôn arall yn chwyrnu ar y soffa, a'i geg fel ogof. Rhywiol iawn . . . Dw i ddim yn siŵr ydw i eisiau dal ati gyda'r berthynas yma. Mae popeth mor ddiflas.

Does gen i ddim syniad beth ddigwyddodd i Menna, ac mae gen i ofn ffonio. Mae Andrew'n cael ei barti stag heno. Dw i ddim yn siŵr ble. Roy oedd yn trefnu. Ro'n nhw wedi gofyn i Siôn fynd, ond dywedodd o ei fod o'n gweithio (oedd ddim yn wir).

'Pam wnest ti ddweud celwydd?' gofynnais i wedyn.

'Am fy mod i'n casáu nosweithiau stag.'

'Ond rwyt ti'n mwynhau meddwi.'

---

chwyrnu	to snore	*celwydd* (*eg*)	lie
ogof (*eb*)	cave		

'Efo pobl dwi'n eu nabod, a dw i ddim yn nabod y criw yna'n dda iawn.'

Hy. Dydi o ddim wedi ceisio dod i'w nabod nhw. Ac maen nhw'n ffrindiau i mi. Ac es i ar noson cywennod merch sydd ddim yn llawer o ffrind i mi. Efallai y baswn i wedi bod yn hapusach ar y noson stag . . .

Dywedais i wrth Siôn am hanes Menna a'r plismon. Roedd o'n meddwl bod y peth yn ddigri iawn. Ond dydi o ddim yn ddigri. Basai Andrew'n torri ei galon.

Rhagfyr 16eg Dydd Sul

Doedd heddiw ddim yn ddiflas o gwbl.

Ro'n i'n cysgu'n braf pan ges i fy neffro gan Siôn – am 6.30 y bore. Roedd hi'n dal yn dywyll tu allan, ond dim ots, roedd Siôn eisiau i ni fynd i wylio adar. Tywydd perffaith meddai fo. Perffaith? Roedd hi'n oer! A sut roedd o'n gallu dweud sut dywydd oedd hi? Doedd yr haul ddim wedi codi. Bron iawn i mi ddweud 'Stwffia dy adar,' ond wnes i ddim. Codais i, gwisgais i fy *thermals*, gorffennais i fy mrecwast, gwnes i becyn o frechdanau a fflasg o goffi, ac allan â ni i'r tywyllwch.

'Mae hi'n dywyll,' meddwn i, wrth faglu dros y ferfa yn yr ardd.

'Fel bol buwch,' cytunodd o. 'Gwylia'r whilber 'na.'

'Y beth?'

'Y whilber.' Do'n i ddim wedi deffro'n iawn. Roedd y gair 'whilber' yn swnio fel neidr i mi, neidr

---

digri	funny	*whilber* (*eb*) (*DC*)	wheelbarrow
berfa (*eb*) (*GC*)	wheelbarrow	*neidr* (*eb*)	snake
bol buwch	cow's stomach		

wenwynig, felly neidiais i, a baglu dros y ferfa eto, a disgyn ar fy mhen-ôl ar y llawr.

'Aw,' meddwn i.

'Blodwen? Beth yn y byd wyt ti'n ei wneud?'

'*More to the point*, beth mae'r whilber yn ei wneud?' gofynnais i. 'Ydi o'n wenwynig?'

'Beth? Y whilber? Blodwen . . . wyt ti'n gall? Pwy glywodd erioed am wilber wenwynig?'

'Ym . . . Siôn?'

'Ie.'

'Beth ydi whilber?'

'Hon, fenyw!' meddai fo, gan godi'r ferfa'n ôl ar ei thraed.

'O.' Mae'r geiriau gog/hwntw yma'n ddigon i frifo pen dysgwraig, heb sôn am frifo ei phen-ôl. Ac yna rhoiodd Siôn ei law allan i fy helpu yn ôl ar fy nhraed. Hm. Felly roedd o'n codi berfa/whilber cyn codi ei gariad. *Charming*. Ddywedais i ddim gair arall wrtho fo yr holl ffordd i'r guddfan. Dw i ddim yn siŵr lle roedd y guddfan, rhywle yn ymyl Dolgellau. Oedd, roedd hi'n bell, a bues i'n cysgu am hanner y siwrnai. Ar ôl cyrraedd, roedd y maes parcio'n dywyll, y llwybr yn dywyll, ac roedd batris y torts yn dechrau marw. Ac roedd hi'n oer iawn, iawn.

Beth bynnag, fel ro'n ni'n dringo'r grisiau i'r guddfan, clywson ni sŵn rhyfedd iawn. Beth ydi *to grunt* tybed? Dyma ni – rhochian neu tuchan. Mae 'rhochian' yn swnio fel sŵn mochyn, ond nid sŵn mochyn oedd hwn. Ac nid mochyn oedd yn gwichian chwaith.

---

gwenwynig	poisonous	*gog/hwntw*	north/south
pen ôl	bottom	*llwybr (eg)*	path

'Siôn?' meddwn i'n ofnus. 'Mae rhywbeth yn y guddfan.'

'Ssh,' meddai fo. 'Efallai bod mochyn daear yno. Maen nhw'n gallu bod yn beryglus iawn.'

'Beth ydi mochyn daear?'

'*Badger*. Aros wrth y goeden acw.' Gafaelodd o mewn darn o bren a tharo ar wal y guddfan, yna, fel rhywun o'r SAS, agorodd y drws yn llydan, a goleuo'r lle gyda'r torts. Trodd y tuchan a'r gwichian yn sgrechian. Nid mochyn daear oedd yno, ond dyn a dynes. Rhai pinc iawn. Wel, coch a – beth ydi *sweaty*? – chwyslyd. Wps!

Gadawodd y dyn a'r ddynes yn sydyn iawn. Ceisiodd Siôn a fi ymddiheuro, ond roedd hynny'n anodd, am ein bod ni eisiau chwerthin, ac ro'n nhw eisiau dianc.

Pan glywson ni sŵn car yn gyrru i ffwrdd yn gyflym iawn, iawn, dechreuon ni chwerthin.

'Wel!' meddai Siôn.

'O diar,' meddwn i. '*Embarrassing*.'

'Braidd.'

'Pwy o'n nhw?' meddwn i wedyn. 'O't ti'n eu nabod nhw?'

'Dw i ddim yn gwybod. Do'n i ddim yn edrych ar eu hwynebau nhw.'

'Siôn!'

'Wel! Dwyt ti ddim yn cofio eu hwynebau nhw chwaith, wyt ti?' Roedd o'n iawn, wrth gwrs. Ac ro'n i'n cochi wrth gofio beth ro'n i'n ei gofio.

'Rwyt ti'n cochi,' meddai Siôn.

'Sut rwyt ti'n gallu dweud?' gofynnais i. '`Mae hi'n dywyll yma.'

---

llydan   wide   *braidd*   somewhat
ymddiheuro   to apologise

'Dw i'n teimlo'r tymheredd yn codi.'

'Ha ha. Doniol iawn.' Edrychais i o amgylch y cwt pren gwag tra oedd Siôn yn agor y ffenestri. Hyd yn oed wedi agor y ddwy ffenest hir, denau, roedd y lle'n dal yn dywyll. A doedd dim byd yno, dim ond – meinciau pren.

'Dydi o ddim yn lle rhamantus iawn i . . . i . . . wneud hynny,' meddwn i.

'O, dw i ddim yn gwybod,' meddai Siôn, 'mae'n dywyll, mae'n dawel. Ac fel arfer, mae'n breifat.'

'Wel, ydi,' meddwn i, a dechrau crynu am ryw reswm.

'Wyt ti'n oer, bach?' gofynnodd Siôn. Nodiais i yn y tywyllwch. 'Dere 'ma 'te.' A rhoiodd o ei freichiau amdana i. Mmm. Neis. Neis iawn. Buon ni'n eistedd fel yna ar y fainc am hir.

'Bydd yr holl sŵn yna wedi dychryn yr adar,' meddai Siôn yn araf, wrth chwarae gyda fy ngwallt i.

'Bydd, mae'n siŵr.'

'Does dim pwynt ceisio chwilio amdanyn nhw am dipyn.'

'Na?'

'Na.'

'Ym . . . beth rwyt ti'n meddwl dylen ni ei wneud yn y cyfamser?' gofynnais i, gan wenu yn y tywyllwch.

'Wel . . . mae hi'n dywyll yma, ac yn dawel . . .' gwenodd Siôn, gan gusanu fy nghlust yn ysgafn.

'Ydi,' chwarddais i, 'ond efallai daw rhywun i mewn.'

'Mae byw ar ochr y dibyn yn hwyl . . .' Roedd o'n cusanu fy ngwddf.

---

tymheredd (eg)	temperature	*cyfamser (eg)*	meantime
cwt (eg)	shed	*chwerthin (chwardd-)*	to laugh
meinciau (ll)	benches	*gwddf (eg)*	neck

'Byw ble?'

'Ar ochr y dibyn . . . *on the edge of a cliff. Living
dangerously . . .*'

Gwenodd o arna i. Roedd ei ddannedd yn sgleinio yn
y tywyllwch. Gwenais i 'nôl, ac yna, ro'n ni'n cusanu'n
wyllt. Do'n ni ddim wedi cusanu fel hyn ers misoedd.
Ac wedyn ro'n ni'n gwneud llawer mwy na chusanu.
Roedd o'n fendigedig. Dw i'n dal i wenu fel giât. Ces i
ychydig o sblinters, ond do'n i ddim yn gallu eu teimlo
nhw ar y pryd. A ddaeth neb i mewn, diolch byth.

A hanner awr yn ddiweddarach, gwelson ni bob math
o adar. A hanner awr ar ôl hynny, ces i mwy o sblinters.
Ie, diwrnod diddorol iawn . . .!

Rhagfyr 17eg Bore Llun

Dw i'n sgwennu hwn ar y fan llyfrgell. Mae dwy o'r
cwsmeriaid ffyddlon wedi bod ac wedi mynd a rŵan
mae fy silff Catherine Cookson yn wag. Dw i yma am
hanner awr arall, ond does dim golwg o neb. Mae hi'n
rhy oer i hen bobl ddod allan beth bynnag. Felly dw i'n
gwrando ar Sulwyn Thomas ar Radio Cymru. Do'n i
ddim yn gallu ei ddeall o y llynedd, ond erbyn hyn dw
i'n deall bron popeth. Dylanwad Siôn, mae'n siŵr.

Dw i wedi bod yn meddwl llawer am ddoe. Dw i
mewn cariad eto. A dw i'n teimlo'n euog iawn am
feddwl bod Siôn yn berson diflas. Dydi o ddim.

Ond dw i'n dal heb benderfynu beth i'w gael yn
anrheg Nadolig iddo fo.

Help!

---

dylanwad (eg)   influence   *euog*   guilty

O ie, gwelais i Menna ar y stryd yn y dre y bore 'ma. Felly mae hi'n fyw o hyd.

Nos Lun

Dechreuodd hi fwrw eira wedyn. Dw i ddim wedi gyrru'r fan mewn eira o'r blaen. Ro'n i wedi panicio braidd. Roedd hi'n anodd gweld y ffordd, ac roedd hi'n llithrig iawn. Ac mae'n gul iawn mewn mannau. Es i adre ar 20 milltir yr awr, ac erbyn i mi gyrraedd y llyfrgell, roedd pawb wedi mynd adre. Ac roedd Gwen wedi rhoi'r larwm ymlaen. Fel arfer, dydi hyn ddim yn broblem, dw i'n pwyso'r rhifau cyfrinachol i mewn i'r peiriant a dyna ni. Ond heno, roedd yr eira wedi troi fy mhen yn uwd a do'n i ddim yn gallu cofio'r rhif. Felly canodd y larwm. Roedd y sŵn yn ofnadwy. Rhedais i i ffonio rhif cartre Gwen, ond doedd hi ddim yn gallu fy nghlywed i, a do'n i ddim yn gallu ei chlywed hi. Wedyn, cyrhaeddodd yr heddlu. Do'n nhw ddim yn hapus.

Erbyn i mi gyrraedd adre, roedd Siôn wedi blino aros amdana i, ac wedi gwneud swper. Wy a sglodion. Ond nid sglodion popty, o na – sglodion mewn sosban o saim. Dw i byth yn ffrio sglodion mewn sosban. Mae'r arogl yn troi fy stumog. A rŵan mae arogl saim ar y llenni, y carped, y soffa, popeth. Ceisiais i beidio â gwylltio, ond gwenu a bwyta fy wy a sglodion yn dawel.

---

cul	narrow	*llithrig*	slippery
mannau (ll)	places	*saim (eg)*	fat
pwyso	to press	*llenni (ll)*	curtains
cyfrinachol	secret	*gwylltio*	to get mad
uwd (eg)	porridge		

Wedyn, tra oedd Siôn yn gwylio pêl-droed eto, gofynnais i a oedd o wedi sgwennu cerdd ar gyfer y briodas.

'Pa briodas?'

'Siôn! Y briodas dan ni'n mynd iddi hi ddydd Sadwrn, priodas Andrew a Menna!'

'O ie.'

'Felly dwyt ti ddim wedi sgwennu cerdd, wyt ti?'

'Cywir.'

'O, Siôn! Gwnest ti addo!'

'Naddo Blodwen, wnes i ddim addo. Dwedais i y baswn i'n ceisio, dyna i gyd.'

'A dwyt ti ddim wedi ceisio, wyt ti?'

'Anghofiais i, iawn?'

Roedd hyn a'r saim, a'r eira, a'r larwm, a'r heddlu'n ormod i mi.

Dechreuais i grio. Dw i ddim yn hoffi crio, ond weithiau mae'n amhosib peidio. Dydi Siôn ddim yn hoffi fy ngweld i'n crio chwaith. Dydi o byth yn crio, felly dydi o ddim yn deall.

'Blodwen, beth sy'n bod nawr eto?'

'Mff mhh – dw i-mffh-ddim yn-ffmm-gwybod.'

'Paid â bod mor bathetig. Tyfa lan.'

'Waaaaaaaah . . .'

Hanner awr a hanner bocs o *Kleenex* yn ddiweddarach, roedd o wedi addo sgwennu cerdd ar gyfer y briodas. Mae gallu crio'n hawdd yn ddefnyddiol iawn weithiau. (Gobeithio na fydd Siôn byth yn darllen y dyddiadur yma . . .)

---

addo   to promise

Rhagfyr 18fed Nos Fawrth

Dydi Siôn ddim wedi sgwennu cerdd eto. A dw i ddim wedi prynu anrheg iddo fo. Os na fydd o'n sgwennu cerdd – dim anrheg.

Oh my god! Anrheg! Dw i wedi anghofio prynu anrheg briodas! Ac mae'r briodas mewn pedwar diwrnod. Dw i'n teimlo'n sâl. O leia mae'r eira wedi mynd.

Rhagfyr 19eg Nos Fercher

Roedd Siôn yn meddwl fy mod i'n poeni am ddim rheswm.

'Does dim rhaid cael anrheg ar y diwrnod, Blodwen.'

'Oes, achos Menna.'

'Dw i ddim yn deall.'

'Mae Menna'n drefnus, ac mae hi'n disgwyl i bawb arall fod yn drefnus hefyd'

'Doedd hi ddim yn drefnus iawn y noson o'r blaen . . .'

'O, shysh! Ac os nad ydw i'n drefnus, bydd hi'n . . . bydd hi'n . . . beth ydi *looking down her nose at me*?'

'Edrych lawr ei thrwyn, ond –'

'Bydd hi'n edrych lawr ei thrwyn arna i eto – mae hi'n edrych lawr ei thrwyn arna i'n barod.'

'Felly beth ydi'r broblem?'

'Oooo! Dwyt ti ddim yn deall! Ac wyt ti wedi sgwennu cerdd?'

'Dim eto.'

'Does dim rhaid iddi hi fod yn hir!' meddwn i wedyn. 'Faint o linellau sydd mewn englyn?'

---

y noson o'r blaen   the other night   *llinellau (ll)*   lines

'Pedair.'

'Wel dyna ni, sgwenna englyn.'

'Dyw hi ddim mor hawdd â hynny rwyt ti'n gwybod!
Dyw e ddim fel limrig.

'Sgwenna fflipin limrig 'te!'

'Falle bydd rhaid i mi.'

'Paid ti â meiddio.'

'Wel gwna dy feddwl lan!'

Weithiau, dw i eisiau defnyddio pen Siôn fel pêl-droed.

Felly es i i'r wers Gymraeg heno yn nerfus iawn.
Ro'n i'n gobeithio y basai Menna'n fwy nerfus. Ond
na.

'Helô ferched!' meddai hi wrth Brenda, Jean,
Michelle a fi, a'i braich ym mraich Andrew. 'Wedi dod
dros nos Sadwrn? Roedd hi'n noson dda!'

'Oedd,' cytunodd pawb yn syth, gan geisio osgoi
llygaid ein gilydd, a llygaid Andrew.

'Dw i eisiau gwybod beth ddigwyddodd,' sibrydodd
Brenda.

'Paid â gofyn dim!' sibrydodd Jean yn ôl.

'Fasai Menna byth yn gwneud rhywbeth gwirion,'
meddai Michelle.

'Dw i ddim yn gwybod,' meddai Brenda, 'mae pawb
yn gwneud pethau gwirion ar eu noson cywennod. *Last
chance saloon and all that.*'

'Wnes i ddim!' sibrydodd Michelle, 'es i adre'n sobr
erbyn deg o'r gloch ar fy noson cywennod i.'

'Noson grap, felly,' meddai Brenda.

Roedd Roy wedi dod draw aton ni.

'Noson dda nos Sadwrn?' gofynnais i.

---

meiddio   to dare   *osgoi*   avoid

'Gwych,' meddai Roy, 'buon ni wrthi drwy'r dydd a dweud y gwir.'

'Drwy'r dydd? O na . . .'

'Nid yn yfed fel chi, Blodwen, ro'n ni'n llawer mwy . . . beth ydi *creative*' Creadigol? Ie. Buon ni'n ymladd *paint ball*, rasio *go-karts*, dringo creigiau a phethau fel hynny. Cyfle i Andrew fod yn fachgen bach eto, cyn gorfod tyfu i fyny i fod yn ddyn priod, parchus.'

'Beth ydi "parchus?"' gofynnodd Jean.

'*Respectable.*'

'Syniad da. Dylen ni fod wedi chwarae gyda Sindys dw i'n meddwl,' meddai Michelle.

'Paid â bod mor *sexist*,' meddai Brenda. 'Chwarae efo dolis? *Action Men* efallai!'

Do'n i ddim yn gallu peidio â chwerthin o gofio Menna a'i phlismon cyhyrog.

'Blodwen,' galwodd Menna wrth gau'r drws, 'ydi Siôn wedi sgwennu cerdd i ni?'

'Ym . . . mae'n dal i weithio arni hi,' meddwn i'n gyflym iawn. 'Ydi popeth yn iawn ar gyfer y briodas? (Yn gyflymach fyth.) Wyt ti'n meddwl bydd y tywydd yn iawn? Mae mwy o eira ar y ffordd medden nhw. Efallai y cei di *white wedding* go iawn!'

'Gobeithio ddim,' meddai hi, 'dw i'n casáu eira. Bydd y gerdd yn barod erbyn dydd Sadwrn, gobeithio?'

'O, bydd.'

'Addo?'

'Ym . . . addo.' Ast. Dw i'n gobeithio y bydd hi'n bwrw eira'n drwm iawn, iawn. A dw i'n gweddïo y bydd Siôn wedi gorffen y gerdd.

Roedd Bob yn hwyr i'r wers.

---

dringo creigiau   cliff climbing   *gweddïo*   to pray

'Mae'n ddrwg gen i *to be so* hwyr,' meddai fo, 'ces i ryw ar y car.'

'Www! *Naughty!*' chwarddodd Brenda.

'Gest ti *frozen buttocks*?!' chwarddodd Andrew.

Bob druan. Doedd o ddim yn deall pam fod pawb yn chwerthin.

'Rhew,' eglurodd Menna, 'rhew ydi'r gair.'

'*But that's what I said,*' meddai Bob yn drist.

Mae tiwtor y dechreuwyr yn dal yn sâl, felly bydd Bob gyda ni am dipyn eto. Ond dan ni wedi arfer efo fo rŵan.

O ie, roedd dysgwr newydd arall yn y wers heno. Mike Williams. Dyn lleol tua 45 oed, sydd wedi byw yma ar hyd ei fywyd. Ond dydi o erioed wedi siarad Cymraeg, er bod ei dad yn Gymro Cymraeg. Dw i ddim yn deall sut mae pobl yn gallu byw ynghanol Eryri heb siarad gair o Gymraeg. Ond mae o'n siarad Saesneg gydag acen Gymreig, ac mae o'n dweud pethau fel 'Nain' a 'Taid' ac '*any chance of a* panad?'

'Dw i'n deall lot,' meddai fo, '*but I've always had problems speaking it.*'

'Pam?' gofynnodd Roy.

'*Dunno really. Because we always –*'

'Cymraeg os gwelwch yn dda, Mike,' meddai Menna.

'*Oh aye, sorry.* Achos dan ni byth yn siarad Cymraeg yn y tŷ, *I suppose*; roedd Mam yn dod o Birkenhead, ac wedyn yn yr ysgol wnes i ddim *really bothero*, na?'

'Ond pam rwyt ti eisiau dysgu rŵan?' gofynnodd Andrew.

'Achos dw i'n teimlo – *what's guilty?*'

---

rhyw (egb)   sex

'Euog,' meddai Menna.

'*Yeah*, achos dw i'n teimlo'n euog. Dw i'n *North Walian, so I should* siarad Cymraeg. Dw i'n Gymro, a dw i eisiau teimlo fel *proper* Cymro. Ac mae *kids* fi'n mynd i ysgol Gymraeg rŵan. A dw i'n *fed up* o bobl yn fy ngalw i'n Sais. Dw i ddim yn Sais!'

'Yn hollol,' meddai Roy, 'dw i'n dod o Abertawe'n wreiddiol, a dechreuais i ddysgu Cymraeg yno. Ond pan ddes i i weithio yn y gogledd, roedd pawb yn meddwl mai Sais o'n i. Na, "Cymro di-Gymraeg" meddwn i, "*Same thing*" medden nhw. Ro'n i'n teimlo fel rhoi'r gorau i ddysgu Cymraeg wedyn. Mae o bron fel *league tables,* pwy ydi'r Cymro gorau, a dw i ar y gwaelod.'

'Ie, rwyt ti'n teimlo – beth yw *what's the point*?' gofynnodd Mike.

'Beth ydi'r pwynt,' meddai Menna.

'Ie, rwyt ti'n teimlo "beth ydi'r pwynt?"'

'Dw i'n teimlo fel yna gyda Gwen yn y llyfrgell,' meddwn i. 'Dw i'n gallu siarad Cymraeg yn eitha da rŵan, ond mae hi'n dal i siarad Saesneg efo fi. Ac mae rhai o'r cwsmeriaid yr un peth.'

'*Soul destroying* yntydi?' meddai Mike.

'Mae o'n *really* trist,' meddai Brenda, 'mae pawb yn cwyno bod yr iaith Gymraeg yn marw, ond pan dan ni'n ceisio siarad Cymraeg â nhw, maen nhw'n siarad Saesneg.'

'Ac mae pob gair Saesneg yn hoelen arall yn y *coffin* Cymraeg . . .' meddai Andrew.

'Arch,' cywirodd Menna.

---

gwaelod (eg)   bottom   *hoelen* (eb)   nail

'Dydi pawb ddim yn troi i Saesneg!' protestiodd Jean.

'*Oh come on* Jean, ychydig iawn sydd – beth ydi *have the patience*, Menna?' gofynnodd Michelle.

'Ychydig iawn sydd â'r amynedd.'

'O ie. Ychydig iawn sydd â'r amynedd i siarad Cymraeg efo ni. Mae fy mam-yng-nghyfraith i'n waeth na neb, ond hi fasai'r gynta i gwyno tasai ei – beth ydi *grandchildren*?'

'Wyrion,' meddai Andrew cyn i Menna agor ei cheg.

'Andrew!' gwylltiodd Michelle, 'dw i ddim yn wirion, reit! Dw i'n ceisio siarad yn gall yma . . .'

'Wyrion ydi *grandchildren*,' chwarddodd Andrew.

'O.' Cochodd Michelle, 'Mae'n ddrwg gen i. Beth bynnag, ble ro'n i? O ie, hi fasai'r gynta i gwyno tasai'r wyrion ddim yn gallu siarad Cymraeg. A dyna pam dw i'n ceisio dysgu! Mae'r peth yn gwneud i fi ferwi . . .'

'Y pwynt ydi, 'meddai Andrew, 'pryd mae dysgwr yn stopio bod yn ddysgwr?'

'Does neb byth yn stopio dysgu mewn bywyd,' meddai Jean.

'A "Cymry Cymraeg o ddewis" dan ni rŵan,' meddai Roy, '*nice idea, shame about the syllables.*'

'Ie, ond ydw i'n mynd i fod yn "Ddysgwr gyda *capital D*" am byth?' protestiodd Andrew. 'Dw i ddim yn Gymro, Sais o Birmingham ydw i, ond dw i wedi dewis byw yma, a dw i eisiau i fy mhlant i fod yn Gymry Cymraeg. Ond pryd ydw i'n mynd i fod yn "Rhywun sydd wedi dysgu Cymraeg"?'

'Pan fyddi di wedi colli'r acen *Brummy* ofnadwy yna,' meddai Brenda.

'Hy! Beth amdanat ti, *Miss South Downs!*'

---

amynedd (eg)   patience   *berwi*   to boil

'Iawn, wel, dyna sgwrs ddifyr iawn,' meddai Menna, 'felly croeso i ti, Mike, a gobeithio y byddi di'n hapus gyda ni yn y dosbarth.'

'Diolch,' gwenodd Mike.

Ar ddiwedd y wers, roedd Andrew eisiau i mi ddod i'r George, ond dywedais i fod gen i ormod o waith. Dw i ddim yn gallu dweud celwydd, felly dw i ddim eisiau iddo fo ofyn cwestiynau am nos Wener.

Rhagfyr 20fed Nos Iau

Dw i wedi penderfynu prynu llawer o bethau bach i Siôn, yn lle un anrheg fawr. A dw i'n mynd i roi popeth mewn hosan fawr goch gyda Siôn Corn arni hi.

Ydi, mae'n naff, ond mae'r Nadolig yn naff. (Ydi naff yn air Cymraeg? Mae dau 'f' ynddo fo . . .) Felly amser cinio heddiw, bues i'n prynu anrhegion bach. Yn y fferyllfa, prynais i rasal a *Resolve;* yn y siop bapurau, prynais i feiros da, bar mawr o *Fruit & Nut*, a pheth chwythu bybls; yn y siop ddillad, prynais i sanau tew a thrôns tenau (*thong* a dweud y gwir. Dw i ddim yn siŵr a fydd o'n hoffi'r *thong*. Dyn *boxers* ydi o); yn *Threshers*, prynais i botelaid fach o wisgi, ac yn y siop lyfrau, prynais i lyfrau bach o gerddi R. Williams Parry a Waldo Williams, a llyfr Saesneg o'r enw *Jonathan Livingston Seagull* gan Richard Bach am ei fod o'n sôn am aderyn. Mae hwnnw o fy mlaen i rŵan. Hm. Mae o wedi gwerthu dros filiwn o gopïau. Mae wedi ei ailgyhoeddi 45 o weithiau. Mae'n rhaid ei fod o'n dda. Does dim byd ar y teledu, felly dw i'n mynd i ddarllen hwn.

---

difyr	amusing	*trôns (ll)*	underpants
fferyllfa (eb)	chemist	*ailgyhoeddi*	to reprint

Dw i ddim yn gwybod lle mae Siôn. Yn sgwennu cerdd, gobeithio.

Rhagfyr 21ain Bore Gwener

Darllenais i *Jonathan Livingston Seagull* i gyd. A dw i'n meddwl ei fod o'n wych. Mae'n alegori am fywyd, am bobl sy'n gwneud eu rheolau eu hunain, sy'n gwybod bod mwy i fywyd na dilyn y drefn. Ac mae'n sôn am wylanod. Bydd Siôn wrth ei fodd.

O ie, Siôn. Daeth o 'nôl yn hwyr iawn neithiwr, chwarter wedi hanner nos. Roedd o wedi cyfarfod criw o adarwyr eraill oedd wedi bod ar Ynys Lawd. Roedd o wedi meddwi. Buodd o'n sâl yn y tŷ bach. Y bore 'ma, bues i'n glanhau'r *pebbledash effect*. Ie, fi, nid Siôn. Ond do'n i ddim yn poeni, achos dw i'n ei garu fo. A dw i'n siŵr y basai fo'n gwneud yr un peth i mi.

Gofynnais i a oedd o wedi gorffen y gerdd, ond gwnaeth o sŵn 'eisiau bod yn sâl' eto. Dw i'n siŵr y bydd o wedi ei gorffen hi erbyn fory.

O ie, fory: y briodas. Dw i wedi penderfynu gwisgo'r *stilettos*. Wedi'r cwbl, bydda i'n eistedd yn y briodas. Eistedd yn y capel, ac eistedd wrth y bwrdd bwyd. Fydda i ddim yn gorfod cerdded llawer. Ac mae merched yn gorfod – beth ydi *suffer*? O ie – diodde, i fod yn brydferth.

Dw i ddim wedi prynu anrheg briodas eto, ond gwelais i hysbyseb am gitâr yn y papur newydd y bore 'ma. £45. Bangor. Ffoniais y rhif yn syth. Dw i'n mynd i'w weld o amser cinio.

---

gwylanod (*ll*)   seagulls

Pnawn Gwener

Myfyriwr oedd yn gwerthu'r gitâr. Un acwstig. Roedd o
angen yr arian er mwyn prynu anrhegion a theithio adre i
Norwich ar gyfer y Nadolig. Mae bywyd mor anodd i
fyfyrwyr y dyddiau hyn. Ces i grant llawn i fynd i Goleg
y Llyfrgellwyr yn Aberystwyth. Ond do'n i ddim yn
mynd allan yn aml iawn. Ro'n i'n hogan dda. Wel, ar
wahân i'r parti yna yn WAC – y coleg amaethyddol.
Dyna'r tro cynta i mi gyfarfod ffermwyr. A dyna'r tro
cynta i mi gael fy nghneifio. Y tro cynta hefyd i mi
glywed y gair. *To shear* ydi cneifio. Gêm wirion oedd hi,
lle ro'n nhw'n esgus mai defaid o'n ni, y llyfrgellwyr
bach swil. Ro'n nhw'n wyllt iawn, ac roedd y bachgen
oedd yn fy 'nghneifio' i'n fwy gwyllt na neb. O
Lansannan dw i'n meddwl. Roedd bechgyn Llansannan i
gyd yn wyllt. Beth bynnag, roedd o'n *embarrassing* iawn,
oherwydd fy mod i'n gwisgo sgert. Ro'n i'n *mortified.*
Ond ro'n i wedi cael tri lager siandi a do'n i ddim yn sobr
iawn. O diar, dw i'n dechrau cofio mwy, a dw i'n cochi.

Beth bynnag, roedd y gitâr yn edrych yn neis iawn,
felly rhoiais i £45 i'r myfyriwr, a rŵan, mae popeth gen
i ar gyfer fory: dillad, esgidiau, anrheg . . . a cherdd,
gobeithio.

Nos Wener. Hanner nos.

Dydi Siôn ddim wedi dod adre. A dydi o ddim wedi
ffonio i ddweud lle mae o. Gobeithio nad ydi o wedi
cyfarfod mwy o adarwyr. Ond beth os ydi o wedi cael
damwain? Dw i ddim yn siŵr a oedd o'n ffit i yrru i'r
gwaith heddiw.

---

hogan (eb) (GC)   *merch*   *amaethyddol*   agricultural

Mae rhywun wedi bod yn ceisio ffonio, ond maen nhw'n rhoi'r ffôn i lawr pan dw i'n ateb. Mae o wedi digwydd pedair gwaith rŵan. Efallai mai Siôn ydi o, ond pam nad ydi o'n dweud unrhyw beth? Dw i wedi deialu 1471, ond mae o'n rhif *withheld.*

12.30

Ffoniais i Ysbyty Gwynedd rhag ofn, ond does neb tebyg i Siôn yn yr uned ddamweiniau.

1.00

Dw i ddim yn gallu cysgu. Dw i'n poeni'n fawr iawn rŵan. Beth os ydi o wedi disgyn oddi ar ryw glogwyn, wrth geisio gwylio adar? Beth os does neb yn gwybod ei fod o wedi cael damwain, a'i fod o'n gwaedu i farwolaeth yn rhywle, yn rhy wan i weiddi am help? Os nad ydi o 'nôl mewn hanner awr, dw i'n mynd i ffonio'r heddlu.

1.35

Ffoniais i'r heddlu. Dw i wedi rhoi rhif y car iddyn nhw, ac maen nhw'n mynd i wneud ymholiadau.

Dw i'n teimlo'n sâl, dw i'n poeni gymaint. Os ydi o wedi marw, wna i byth faddau i mi fy hun. Dw i'n caru Siôn, dw i eisiau cael ei blant o, ac os ydi o wedi marw, dw i eisiau marw hefyd.

---

uned ddamweiniau	casualty	*ymholiadau (ll)*	enquiries
clogwyn (cy)	cliff	*maddau*	to forgive
gwaedu	to bleed		

2.45

Mae'r heddlu newydd ffonio. Mae'r car wedi parcio y tu allan i dŷ ym Mangor, ac mae sŵn parti yn y tŷ.

Dw i'n mynd i'w ladd o.

Rhagfyr 22ain 8.30 Bore Sadwrn

Wnes i ddim cysgu llawer. Bues i'n meddwl am Siôn efo myfyrwraig ifanc heb *cellulite*.

Mae o newydd ddod adre. Ro'n i yn y gegin. Gwelodd o fy wyneb i, aeth o'n syth i'r gawod, ac mae o'n dal yno. Babi. Bradwr. Bastard. Dw i wedi gwylltio cymaint, dw i ddim yn gallu siarad. Mae'r briodas am un o'r gloch, dan ni i fod i fynd yno fel dau gariad hapus, ond dw i ddim eisiau mynd rŵan. Sut gallwn ni fynd? Dw i ddim eisiau siarad â fo. Dw i eisiau mynd drosto fo efo Jac Codi Baw – a rifyrsio wedyn.

Dw i'n teimlo ac yn edrych yn ofnadwy. Mae gen i fagiau fel sachau o datws o dan fy llygaid ac mae fy ngwallt fel gwallt gwrach. Dw i wedi cael chwe mŵg o goffi a dw i eisiau bod yn sâl. Dw i ddim yn mynd i'r briodas. Dw i'n mynd i aros yma yn y tŷ – ond mae Siôn yn gadael. Dw i'n mynd i roi ei ddillad, ei lyfrau, ei offer adarydda – popeth – mewn bagiau a'u taflu drwy'r ffenest.

Nadolig Llawen, Siôn Prys.

---

bradwr (eg)	traitor	*offer adarydda*	birdwatching kit
Jac Codi Baw	JCB		
gwrach (eb)	witch	*taflu*	to throw

Rhagfyr 23ain Nos Sul

Dw i ddim yn siŵr lle i ddechrau. Mae cymaint wedi digwydd ers bore ddoe.

Gwell i mi ddechrau yn y dechrau:

Pan ddaeth Siôn allan o'r gawod, ro'n i'n taflu bag bin mawr drwy'r ffenest.

'Beth rwyt ti'n ei wneud?' gofynnodd o.

'Dy daflu di allan,' meddwn i, a gafael mewn bag arall.

'Fy stwff i sydd yn y bagiau hyn?' gofynnodd o'n dawel.

'Wel dw i ddim yn taflu fy stwff i allan, ydw i? Dw i'n aros, rwyt ti'n mynd.'

'O. Dw i'n gweld. Ond lle ydw i'n mynd i fynd?'

'Dim ots gen i! Dw i byth eisiau dy weld ti eto!' Ro'n i bron iawn â chrio. Ac roedd o'n gallu gweld hyn.

'Blodwen, eistedd i lawr am funud . . .'

'Na! Dw i ddim eisiau eistedd i lawr! Dw i eisiau i ti fynd!'

'Heb roi cyfle i mi egluro?'

'Ie!'

'Dyw hynny ddim yn deg iawn.'

'Dim ots gen i! Oedd neithiwr yn deg? Nac oedd. Ro'n i'n poeni amdanat ti, Siôn! Ffoniais i'r ysbyty, yr heddlu, pawb! Ac ro't ti mewn parti, a dy dafod di i lawr gwddf myfyrwraig heb *cellulite*!'

'Beth?!'

'Dw i ddim yn dwp, Siôn, a dw i ddim eisiau clywed y manylion. Dos at dy '*bit of fluff*' – does dim ots gen i o gwbl!'

---

cyfle (*eg*)   opportunity   *dos* (*GC*)   *cer* (*DC*)
manylion (*ll*)   details

Ro'n i'n crio erbyn hyn, ac yn cael trafferth gweld y bagiau bin. Baglais i dros un ohonyn nhw a tharo fy ngên ar sil y ffenest. Aw. Roedd fy ngên yn brifo – yn brifo'n ofnadwy.

'Blodwen? Wyt ti'n iawn?'

'Nac ydw! Dos o 'ma!'

'Blodwen, gad i mi weld . . .' Helpodd o fi i godi ac edrychodd o ar fy ngên yn ofalus. 'O diar.'

'Beth?'

'Mae dy ên di'n goch iawn, iawn. Dw i'n meddwl ei bod hi'n mynd i droi'n ddu . . . rhaid i ni roi iâ arni hi – gloi.'

Pum munud yn ddiweddarach, ro'n i'n gorwedd ar y soffa gyda bag o rew ar fy ngên, ac roedd Siôn yn ceisio egluro. Do'n i ddim eisiau gwrando, ond eto, ro'n i eisiau hefyd. Dywedodd o mai gyda'r adarwyr oedd o, criw gwallgof o Leeds, ac aeth un peint yn ddau, yna'n bump, wyth, deg, ac wedyn roedd o allan ohoni'n llwyr.

'Pan gyrhaeddon ni'r parti es i i gysgu ar y soffa, a dyna fe. Do'n nhw ddim yn gallu fy neffro i. Rwyt ti'n gwybod sut un ydw i pan dw i wedi cael gormod.'

O, ydw.

'Felly does dim myfyrwraig, onest. Dim ond ti dw i moyn Blodwen. Ac mae'n wirioneddol ddrwg gyda fi am neithiwr. Dylwn i fod wedi ffonio, a dw i'n ymddiheuro. Wnei di faddau i mi plîs?'

Do'n i ddim yn siŵr. Roedd hyn yn rhy hawdd. Ro'n i eisiau gwneud iddo fo ddiodde. Ond roedd o'n edrych mor ifanc, mor ddiniwed. Ac roedd o wedi dechrau cusanu fy ngwddf i.

'Wyt ti wedi sgwennu'r gerdd eto?' gofynnais i.

---

diniwed   innocent

'Sgwenna i rywbeth nawr, dw i'n addo. Wel, yn y munud . . .'

Felly, gan fod amser mor brin, gwnes i faddau iddo fo. Ac wedyn ro'n ni'n dau angen cawod eto.

Ar ôl iddo fo nôl y bagiau o'r ardd (roedd y cymdogion yn edrych arno fo'n ddryslyd iawn) aeth o i'r gegin – 'I gyfansoddi cerdd fythgofiadwy' meddai fo.

Es i at y drych i edrych ar fy ngên. Roedd Siôn yn iawn. Roedd hi'n troi'n ddu – ac yn chwyddo.

Erbyn hanner dydd, roedd Siôn wedi gorffen y gerdd, ac ro'n ni'n dau wedi gwisgo'n barod ar gyfer y briodas. Roedd o'n edrych yn smart iawn yn ei siwt, fel Huw Edwards ar y Newyddion, ac ro'n i'n edrych fel . . . fel Jimmy Hill mewn drag. Roedd fy ngên wedi chwyddo a throi'n ddu iawn ac roedd hi'n edrych fel barf, dim ots faint o *foundation* ro'n i'n ei roi arni hi. Ro'n i eisiau crio eto. 'Blodwen, dyw hi ddim yn rhy ffôl. Rwyt ti'n edrych yn ffantastig,' meddai Siôn. 'Mae coch ac oren yn dy siwto di.'

'O, diolch i ti Siôn.'

'Ond dw i ddim yn rhy siŵr am y farf . . .'

'Siôn!'

'Dim ond tynnu dy goes di, fenyw; nawr dere. Neu fyddwn ni'n hwyr.'

Ro'n ni wedi cyrraedd y ffordd fawr, ac yna cofiais i:

'Siôn! Stopia!'

Emergency stop.

'Beth nawr?!'

'Dw i wedi anghofio'r gitâr . . .'

---

cyfansoddi	to compose	*chwyddo*	to swell
bythgofiadwy	unforgettable	*barf (eb)*	beard

Erbyn i ni gyrraedd y capel, doedd dim lle i barcio. Felly bu'n rhaid i ni barcio filltiroedd i ffwrdd. Wel, o leia un filltir, ac yna cerdded –yn gyflym – i'r capel. Yn y glaw. A fi mewn *stilettos*. Ar ôl canllath, roedd fy nhraed i'n sgrechian.

'Siôn, dw i ddim yn gallu cerdded.'

'Dw i ddim yn synnu. Pam penderfynaist ti wisgo esgidiau mor hurt yn y lle cynta?'

Brathais i fy nhafod. Hanner canllath arall.

'Siôn? Wyt ti'n gallu rhoi *piggy-back* i mi?'

'Beth?! Dw i ddim yn Hercules rwyt ti'n gwybod, a dwyt ti ddim yn Twiggy chwaith.'

'Paid â gweiddi arna i! Arnat ti mai'r bai!'

'Beth? Am dy sgidiau di?'

'Fy mod i'n edrych fel Jimmy Hill, ein bod ni'n hwyr, fy mod i'n *stressed to the eyeballs!* Rwyt ti newydd ofyn i mi faddau i ti, rwyt ti newydd ddweud mai fi ydi'r unig ferch i ti, a rŵan rwyt ti'n gas i fi eto!'

'Dw i ddim yn gas –'

'Wyt! Rwyt ti'n *horrible, mean sod!'*

'Beth? Achos dywedais i dy fod ti ddim yn Twiggy?!'

'Y ffordd y dywedaist ti o, Siôn!'

'Yffach, rwyt ti'n sensitif.'

'Ydw, Siôn, ac mae fy nhraed i'n sensitif hefyd . . .' Ro'n i'n dechrau crio eto. O na, fy *mascara* . . . Edrychodd Siôn yn drist arna i, yna ysgwyd ei ben a fy nghofleidio i'n dynn.

---

canllath	100 yards	*yffach*	crikey
hurt	stupid	*cofleidio*	to embrace
brathu	to bite	*yn dynn*	tightly

'Blodwen, rwyt ti'n hollol wallgof, a dyna pam dw i'n dy garu di gymaint.'

Caru? Oedd o wedi dweud y gair 'caru?' Oedd, a dechreuais i grio eto.

'Blodwen . . . dy *fascara* di . . . mae e dros y lle i gyd . . .' Tynnodd o hances allan o'i boced a glanhau fy wyneb. 'Mae'n ddrwg gyda fi, iawn? Nawr dere, neu bydd y briodas wedi gorffen.'

Penderfynais i gerdded gweddill y ffordd heb esgidiau. Roedd hynny bron yn fwy poenus, ac roedd gwaelod fy sgert i'n gwlychu. Ac roedd fy ngên i'n dal i frifo, ond ro'n ni'n cerdded law yn llaw, yn y glaw, felly doedd dim ots.

Erbyn i ni gyrraedd y capel, ro'n ni'n chwysu fel dau fochyn, felly ro'n ni'n wlyb o'r tu mewn a'r tu allan. Ond o leia ro'n ni wedi cyrraedd – mewn un darn – ac efo'n gilydd. Ond doedd dim llawer o le ar ôl i eistedd. Ro'n ni'n gorfod gwasgu i mewn i le bach iawn, a doedd y ddynes smart wrth fy ochr i ddim yn hapus bod fy nillad gwlyb i'n gwlychu ei dillad hi. Ac roedd hi'n edrych yn rhyfedd iawn ar fy ngên i.

Beth bynnag, roedd y gwasanaeth yn hyfryd. Roedd Andrew'n edrych yn *stunning*. Ac yn ofnus. Roy oedd y gwas priodas, ac roedd o'n troi rownd ac yn gwenu drwy'r amser. Yna daeth Menna i mewn. Roedd hi'n edrych yn eitha tlws. Tipyn gormod o ffrils yn fy marn i, ac roedd ei cholur hi'n rhy oren. Ond roedd hi'n edrych yn denau, wrth gwrs. A doedd hi ddim yn ofnus o gwbl. Roedd hi'n adrodd y geiriau'n glir iawn, ond roedd Andrew druan yn baglu dros bopeth.

---

gwlychu   to soak   *colur (eg)*   make-up
chwysu   to sweat

'Yr wyf . . . yr wyf fi, Andrew Mi- Mi – Milton-'
Milton?! meddyliais i. Y bardd?

'Yr wyf fi, Andrew Milton Mo – Morton, yn yn yn yn dy gymryd ti M-M-M –'

'Menna,' meddai Menna. Ac roedd clustiau Andrew wedi troi'n biws.

'Ia. M-Menna Chwefrorwen –'

Chwefrorwen?! Sŵn chwerthin yn y gynulleidfa. Siôn yn un. Rhoiais i gic iddo fo.

'Menna Chwefrorwen Lloyd-Williams, yn wra-wra-wra –'

'Yn wrach?' meddyliais i. Addas iawn.

'Yn wraig briod, gyf-gyf-gyfreithl-gyfreithlon i mi.'

Roedd ei lais o'n rhyfedd iawn. Doedd o ddim yn edrych yn hapus o gwbl. A phan ddywedodd y gweinidog eu bod nhw'n ŵr a gwraig, aeth (dw i eisiau dweud *a sigh of relief – aha*, dyma ni) – ochenaid o ryddhad drwy'r capel. Ac yn ystod yr emyn, bues i'n breuddwydio am Siôn a fi'n sefyll lle roedd Andrew a Menna, a Siôn yn addo fy ngharu i am byth. Ond wedyn, y tu allan i'r capel, pan oedd pawb yn tynnu lluniau o'r pâr hapus, dywedodd Siôn:

'Doedd e ddim yn swnio'n hapus iawn, oedd e?'

'Pwy?'

'Andrew. Ond dyna fe, pa ddyn fasai'n hapus i gaethiwo ei hun fel yna?'

Ddywedais i ddim byd.

Ymlaen â ni i'r gwesty am y bwyd. Ro'n i'n teimlo braidd yn wirion yn cerdded i mewn gyda gitâr mewn

---

cynulleidfa (*eb*)	congregation	*cyfreithlon*	lawful
addas	apt	*emyn* (*eg*)	hymn

papur lapio melyn a ruban mawr pinc. Rhoiais i o ar y bwrdd gyda'r anrhegion eraill. Wedyn es i i'r tŷ bach i roi *plasters* ar y pothelli oedd ar fy nhraed.

Buodd pawb yn y bar am oriau'n disgwyl i'r tynnu lluniau orffen. Roedd ambell hen ewythr wedi meddwi braidd erbyn iddyn nhw ddod 'nôl. Ces i ddau *G&T* mawr. Wedyn, roedd pawb yn gorfod sefyll mewn ciw i gyfarch y pâr priod. Rhoiais i sws i Andrew. Ro'n i'n teimlo braidd yn *embarrassed*. Do'n i erioed wedi rhoi sws iddo fo o'r blaen.

'Llongyfarchiadau,' meddwn i.

'Diolch. Ti nesa?' gwenodd o.

'Nesa i beth?'

'Priodi!'

'Dw i ddim yn credu!' chwarddodd Siôn y tu ôl i mi. Clywodd Menna hyn, a chwerthin, a chwerthin eto pan welodd hi fy ngên i. Ast. Wedyn ro'n i'n gorfod rhoi sws iddi hi hefyd. Ych.

Roedd y bwyd yn neis iawn. Roedd popeth yn Gymreig – y cawl, y cig oen a'r caws. Roedd hyd yn oed poteli cwrw Blodeuwedd ar gael. Ro'n i'n meddwl bod hyn yn hyfryd, nes i mi weld *Flower Face* ar y label. Dydi *Flower Face* ddim yn swnio'n iawn o gwbl. Roedd o'n f'atgoffa fi o hufen iâ *Funny Face,* a dydi Blodeuwedd ddim yn *funny*. Ond roedd o'n gwrw cryf, a chyn hir, doedd fy nhraed i na fy ngên i ddim mor boenus.

---

papur lapio	wrapping paper	*ewythr (eg)*	uncle
ruban (eg)	ribbon	*cyfarch*	to greet
pothelli (ll)	blisters	*sws (eb) (GC)*	cusan

Wedyn, dechreuodd yr areithiau. Siaradodd tad Menna am amser hir, a'i hewythr hi, a'r gweinidog, a'i ffrindiau coleg hi. Roedd tad Andrew wedi meddwi, a dywedodd o jôc anffodus iawn am '*An Englishman, a Scotsman and a Welshman*'. A jôc arall am ferched Cymreig. Do'n nhw ddim yn ddigri, yn enwedig mewn ystafell o Gymry Cymraeg oedd i gyd yn perthyn i Blaid Cymru/Cymdeithas yr Iaith/Cymuned, yn dibynnu ar eu hoed. Ond diolch byth, roedd araith Andrew'n dda iawn. Diolchodd o i Menna am ddysgu Cymraeg iddo fo, a dywedodd tasai fo ddim wedi dechrau dysgu Cymraeg, fasai fo ddim wedi cyfarfod y ferch roedd o'n ei charu.

Wedyn gofynnodd Roy, y gwas priodas, i'r Prifardd Siôn Prys godi ar ei draed i adrodd y gerdd roedd o wedi'i sgwennu'n arbennig ar gyfer Andrew a Menna. Ro'n i mor falch ohono fo. Roedd y merched i gyd yn edrych arna i gyda llygaid gwyrdd. Prifardd? A phrifardd mor olygus? Waw! Ac yna, dechreuodd Siôn adrodd ei gerdd:

I Menna ac Andrew

Daw eryr fu'n adara – at ei goed,
        at ei goed lle setla;
    cans aeth un aderyn da
    am un o'r enw Menna.

---

areithiau (*ll*)	speeches	*eryr* (*eg*)	eagle
Prifardd	chief bard at the National Eisteddfod	*at ei goed*	to his senses
		cans	*achos*

58

Esmwyth fydd byd heb blismyn – rhoi helynt
yr heliwr dan gorcyn.
Daw oriau hedd ond, er hyn,
daw awr i'r hen aderyn.

Do'n i ddim yn deall yr englynion yn dda iawn, ond ro'n i'n deall y gair 'plismyn'. Roedd pawb fu ar noson cywennod Menna'n deall hefyd, a dechreuodd ambell un chwerthin. Edrychais i ar Menna. Roedd hi'n edrych yn flin. Clywais i rywun o deulu Menna'n dweud:

'Do'n nhw ddim yn dda iawn, o'n nhw? A beth oedd hynna am blismyn?'

Ro'n i eisiau marw. Neu o leia ddiflannu i rywle pell. Basai Menna'n fy lladd i. Ond ro'n i'n mynd i ladd Siôn yn gynta.

Diolch byth, cododd Roy ar ei draed yn syth, a dweud cwpl o jôcs a gofyn i bawb godi eu gwydrau i'r morynion. Felly, ar ôl jôch arall o siampên, roedd y rhan fwya o bobl wedi anghofio am yr englynion yn syth. Ond nid Menna. Ro'n i'n gallu teimlo ei llygaid hi'n gwneud twll mawr yn fy mhen.

'Siôn . . . oedd rhaid i ti sôn am y plismon?' meddwn i'n flin.

'Roedd hi'n ei haeddu o,' atebodd o, 'a'i bai hi oedd o am ofyn i mi sgwennu cerdd iddi hi yn y lle cynta.'

Ro'n i eisiau mynd adre, ond roedd Siôn a fi wedi yfed gormod i yrru, a doedd y tacsi ddim yn cyrraedd am saith awr arall.

---

esmwyth	easy	*diflannu*	to disappear
helynt (eb)	trouble	*morynion (ll)*	bridesmaids
heliwr (eg)	hunter	*jòch (eg)*	gulp
hedd (eg)	peace	*haeddu*	to deserve

Felly bues i'n ceisio osgoi Menna drwy'r nos. Er ei bod hi'n oer iawn, es i allan i'r ardd. Roedd mainc yno, felly eisteddais i arni hi, a thynnu fy sgidiau. Roedd y pothelli ar fy nhraed yn boenus eto. Cyn hir, clywais i rywun yn cerdded ar y llwybr tuag ata i.

'Blod?'

Andrew oedd o. Roedd o'n cerdded yn rhyfedd, fel y dyn yn yr hysbysebion *Mr Soft*, gyda gwydr siampên yn un llaw a sigarét a photel siampên yn y llall.

'Helô, Andrew.'

'Beth rwyt ti'n ei wneud allan yma ar dy ben dy hun?'

'Ym . . . cuddio. Beth rwyt ti'n ei wneud?'

'Cuddio. Fel rwyt ti'n gwybod, dydi Menna ddim yn hoffi fy ngweld i'n ysmygu, ond ro'n i'n marw eisiau ffâg. *Shift up, petal.*'

Felly gwnes i le iddo fo ar y fainc. Edrychodd y ddau ohonon ni ar y sêr heb ddweud dim am dipyn.

'Wel . . .' meddwn i yn y diwedd, 'sut mae'n teimlo i fod yn ŵr priod?'

'O, Blod,' ochneidiodd Andrew, *'if I had a penny for* . . . ro'n i'n meddwl y baset ti'n gallu meddwl am rywbeth mwy . . . beth ydi *original*?'

'Gwreiddiol.'

'Rhywbeth mwy gwreiddiol na hynny. Mae pawb wedi gofyn hynny i mi!'

'Mae'n ddrwg gen i, ond dw i ddim yn teimlo'n wreiddiol iawn.'

'Fair enough.'

---

osgoi	to avoid	*ochneidio*	to sigh
sêr (ll)	stars		

'Wel? Beth oedd dy ateb di bob tro ro't ti'n clywed y cwestiwn?'

Cymerodd o jòch arall o siampên.

'Dw i ddim yn cofio.'

'O. Wyt ti wedi cael diwrnod da, 'te?'

'Ydw, *I suppose*. Wyt ti eisiau siampên? Gelli di gael y gwydr, dw i'n hapus efo'r botel.'

Felly sipiais i o'r gwydr, ac yfodd o o'r botel.

'Mae'n ddrwg gen i am yr englynion.'

'Paid â phoeni. Ro'n i'n meddwl bod y peth yn *bloody hilarious*.'

'O't ti?'

'Roedd hi wedi dweud wrtha i am y plismon.'

'Oedd hi?' Mae'n rhaid bod gynnyn nhw berthynas onest iawn, meddyliais i.

'Ie, ei fod o wedi rhoi rhybudd iddi hi am fod yn *drunk and disorderly*. Dw i'n meddwl bod hynny'n ddigri iawn. Weithiau mae Menna yn diodde o – beth ydi *sense of humour deficiency*?'

'Ym ... dw i ddim yn siŵr. Prinder synnwyr digrifwch?'

'*Whatever,* ond mae hi'n gallu bod yn *anal* iawn – wna i ddim gofyn i ti beth ydi hynny – a dyna pam dan ni'n gwpl mor dda – pan mae hi'n *anal*, dw i'n gallu rhoi cic i fyny'r *anus* iddi hi.'

'Andrew!'

Chwarddodd o, ac yfed mwy o'r siampên. Roedd o'n amlwg wedi meddwi. Ac roedd yn amlwg nad oedd Menna wedi dweud popeth wrtho fo.

Buon ni'n dau'n edrych ar y sêr eto am rai munudau, wedyn stwmpiodd Andrew ei sigarét allan yn y borfa, a

---

porfa (eb)   grass

thywallt mwy o siampên i fy ngwydryn i, ac yfed mwy ei hun.

'Blod?'

'Ie?'

'O't ti'n hoffi fy araith i?'

'Mmm. Roedd hi'n hyfryd, mor onest.'

'Wel, oedd, roedd hi'n onest iawn, mewn ffordd. Rwyt ti'n gwybod y darn pan ddywedais i "taswn i ddim wedi dechrau dysgu Cymraeg . . ."'

'Faset ti ddim wedi cyfarfod â Menna . . .'

'Na, Blod, nid dyna beth ddywedais i.'

'Wel, ie!'

'Na. Beth ddywedais i oedd "y ferch dw i'n ei charu".'

'Sef Menna!'

'Na. Nid Menna. Ti, Blodwen.'

Tawelwch. Do'n i ddim wedi deall yn syth, ond wedyn, yn araf, ro'n i'n dechrau sylweddoli beth oedd o wedi'i ddweud.

'Fi?'

'Ie. Ti dw i wedi caru drwy'r amser, ond doedd gen ti ddim diddordeb ynddo i, felly penderfynais i fynd am *second best.*'

'Beth? Ond . . . ond dw i'n dy gofio di'n dweud . . . yn y George . . . fis Mawrth . . . dwedaist ti dy fod ti mewn cariad efo hi.'

'Ro'n i mor hapus bod rhywun yn fy ffansïo i. Aeth o i fy mhen i.'

'Fel y siampên. Yr alcohol sy'n siarad rŵan.'

'Na, fi, Andrew Milton Morton, sy'n siarad. Ac ro'n i angen yr alcohol i gael y gỳts i ddwedu hyn wrthot ti.'

---

tywallt   to pour   *araith (eb)*   speech

'Ond pam rwyt ti eisiau dweud wrtha i? Ar noson dy briodas?!'

'Triais i dy ffonio di neithiwr. Ro'n i eisiau dweud fy mod i dy eisiau di, nid Menna, a'i bod hi ddim yn rhy hwyr i ni fynd i ffwrdd i Gretna Green neu rywbeth. Ond bob tro ro'n i'n clywed dy lais di, ro'n i'n rhoi'r ffôn i lawr. Roedd gormod o ofn arna i.'

'Ti oedd o!'

'Ie. Mae'n ddrwg gen i am hynny. *Pre-wedding nerves*. Mae'n ddrwg gen i am hyn hefyd, ond ro'n i jest eisiau dweud wrthot ti . . .'

'Andrew . . .'

'Ond rwyt ti mewn cariad efo Siôn beth bynnag, felly doedd dim gobaith i mi. *C'est la vie*. Ond mae'n well fel hyn. Dw i'n eitha hapus. Bydd Menna'n wraig dda i mi, a bydda i'n ŵr da iddi hi, ond bydda i wastad mewn cariad efo ti, Blodwen.'

Edrychodd o i fy wyneb i am y tro cynta, a gwnaeth fy stumog i *triple back somersault*. Roedd o mor hardd, roedd y ffordd roedd o'n edrych arna i'n (*I don't know how to describe it*) – ro'n i eisiau ei gusanu o.

Ond yna, daeth rhywun allan o'r gwesty.

'Andrew? Ble rwyt ti? Mae'n rhaid i ni ddechrau'r dawnsio gwerin! Andrew?!'

Menna oedd hi. Cododd Andrew ar ei draed, rhoi sws ar fy nhalcen, codi bys at ei wefusau, a mynd yn sigledig i gyfeiriad llais Menna.

'*Coming*, cariad! Cadw dy wallt arno . . .'

'O, Andrew!' meddai llais blin Menna, 'ble rwyt ti wedi bod?

---

dawnsio gwerin	folk dancing	*gwefusau* (*ll*)	lips
talcen (*eb*)	forehead	*sigledig*	wobbly

'Yn siarad efo'r *fairy* yng ngwaelod yr ardd, *my precious. Gorgeous thing, she was.'*

'Rwyt ti wedi meddwi! Rwyt ti wastad yn dechrau siarad Saesneg pan wyt ti wedi meddwi!'

'Menna . . . rho hosan ynddi hi, a thyrd i ddawnsio gwirion.' A diflannodd y lleisiau i mewn i'r gwesty.

Eisteddais i yno am amser hir, mewn sioc. Wedyn sylweddolais i fod Andrew wedi gadael y botel siampên ar ôl.

Dw i ddim yn cofio llawer am weddill y noson. Dywedodd Siôn fy mod i wedi hedfan i mewn i'r dawnsio gwerin fel corwynt *(tornado* ydi hynny) yn dweud mai fi oedd y tylwyth teg yng ngwaelod yr ardd. Bues i'n dawnsio fel peth gwirion am ddeg munud, wedyn syrthiais i gysgu o dan y bwrdd. A bu'n rhaid i Siôn fy hanner cario i mewn i'r tacsi.

Do'n i ddim yn teimlo'n dda iawn pan ddeffroais i'r bore 'ma. Roedd fy ngên i'n waeth, ac roedd fy nhraed i'n boenus iawn. Dw i byth yn mynd i yfed siampên eto.

Dw i'n methu credu beth ddywedodd Andrew. Dw i'n methu credu sut ro'n i'n teimlo chwaith. Diolch byth eu bod nhw wedi mynd ar eu mis mêl. Fydd dim rhaid i mi weld Andrew na Menna am bythefnos arall.

Dw i ddim yn gallu credu faint dw i wedi sgwennu heno. Mae fy mhen a fy llaw'n brifo. Dw i'n mynd i'r gwely.

---

tyrd (GC)   dere (DC)

Rhagfyr 27ain Nos Iau

A dyna'r Nadolig drosodd. Dw i'n pwyso o leia hanner stôn yn fwy a dw i byth eisiau gweld cnau Brazil na mins peis eto. Es i adre at Mam a Dad yn Birmingham noswyl Nadolig, ac aeth Siôn adre at ei deulu o. Ro'n i wedi meddwl mynd efo Siôn, ond pan ffoniais i Mam, aeth hi'n *hysterical*.

'What do you mean you're not coming over for Christmas?! I've already stuffed the turkey and your stocking and made your bed and everything! You can't leave me alone with your da for Christmas!'

Felly doedd gen i ddim dewis. Ffoniais i Siôn ar ôl y cinio Nadolig. Ro'n ni wedi mynd â'r anrhegion efo ni.

'Diolch am y clust-dlysau,' meddwn i. Roedd o wedi rhoi rhai aur i mi, ond dw i byth yn gwisgo aur, dim ond arian. O wel. Bydd rhaid i mi wisgo aur rŵan.

'Croeso,' meddai fo, 'a diolch am bopeth ges i! Rwyt ti wedi bod yn brysur.'

'Ie, wel. Oedd popeth yn iawn? Wyt ti wedi trio'r thong?'

'Dyna beth oedd e! Roedd Tad-cu'n credu taw rhyw fath o sling oedd e.'

'Ha ha. A beth am y llyfrau?'

'Grêt. Dw i wrth fy modd gyda cherdd Waldo: "Pa eisiau dim hapusach na byd yr aderyn bach . . ." '

'A beth am Jonathan Livingston Seagull? Mae o'n wych yntydi?!'

'Wel . . .'

'Beth? Dwyt ti ddim yn ei hoffi o?'

---

noswyl Nadolig   Christmas Eve   *aur*   gold

'Blodwen . . . adarwr ydw i. Ac mae'r llyfr yna'n jôc yn y byd adaryddol. Mae'n amhosib i unrhyw adarwr gwerth ei halen gymryd y llyfr yna o ddifri.'

'Ond . . . ond mae o mor farddonol . . .'

'Gwranda, hyd yn oed taswn i eisiau mynd yn gosmig ac alegorïaidd a *pseudo*-rwtshaidd am allu anhygoel adar i hedfan, pam dewis gwylan? Maen nhw'n adar hyll, blin sy'n byw ar domennydd sbwriel! A beth bynnag – pa fath o wylan ydi hi? Fel y dywedodd Bill Oddie, os oedd hi'n Jonathan Livingston-Second Winter Lesser Black-backed Gull, iawn! Mae jest dweud "Seagull" yn fy ngwylltio i, mae'n ddrwg gyda fi.'

'O. Dw i'n gweld.'

'Gwranda, ga i dy ffono di 'nôl nes ymlaen? Dw i'n gorfod mynd mas.'

'Iawn.'

'Hwyl 'te.'

'Hwyl.' A rhoiodd o'r ffôn i lawr. Doedd o ddim hyd yn oed wedi dweud 'Nadolig llawen.' Ac er i mi aros ac aros am yr alwad ffôn 'nes ymlaen,' chlywais i ddim byd. Dyna pam bwytais i fasgedaid gyfan o gnau Brazil, a phecyn o *Bombay Mix*, a thair mins pei. A gwylio *Zulu* – eto.

Dw i'n gwybod fy mod i'n wirion, ond dw i'n siomedig nad ydi o wedi mwynhau *Jonathan Livingston Seagull*. O wel. O leia roedd Mam a Dad wedi hoffi eu hanrhegion. Ces i lyfr garddio Alan Titchmarsh gan dad, fydd yn ddefnyddiol iawn. Mae gynno fo luniau o

---

o ddifri	seriously	*anhygoel*	incredible
pseudo-rwtshaidd	pseudo-rubbishy	*tomennydd sbwriel*	rubbish dumps
		cnau (ll)	nuts

chwyn, fel fy mod i'n gallu dweud pa flodau sydd yn chwyn. Ac mae'r rhan fwyaf o'r chwyn yna yn fy ngardd i. A gan Mam, ces i grys nos. Wel, mae'n anodd ei ddisgrifio fel crys nos. Dydi o ddim fel crys. Mae o'n fwy tebyg i (beth ydi *petticoat*?) – pais, mae'n fwy tebyg i bais. Un ddu, fer, denau (tryloyw ydi *see-through* dw i'n meddwl) . . . efo label Ann Summers. Mae hi'n ofnadwy, a baswn i'n edrych yn ffiaidd ynddi hi. Syniad Mam o gadw diddordeb dyn. '*Nobody said it was easy, keeping your man,*' meddai hi. '*We have to use every trick in the book, love; some more than others.*' (Gyda phwyslais ar y '*some.*') Diolch, Mam. Ond dw i (a fy nyn) yn hapus iawn efo fy nghrys-T Pooh Bear.

A sôn am fy nyn, dim ond unwaith wnaeth o fy ffonio tra o'n i yn Birmingham. Ddoe oedd hynny, i ddweud na fydd o'n cyrraedd heddiw wedi'r cwbl. Mae o wedi mynd i wylio adar. Rhywun wedi gweld aderyn anghyffredin yn Sir Benfro.

Rhagfyr 28ain Nos Wener

Dim golwg o Siôn. A dydi o ddim wedi ffonio.

Gwylio'r teledu a bwyta cnau drwy'r dydd. Dw i eisiau mynd allan, ond does gen i neb i fynd allan efo nhw. Mae Andrew'n dal ar ei fis mêl a dydi Brenda na Jean na Roy ddim yn ateb y ffôn. Mae pawb ond fi allan yn cael amser da. Sgwn i sut hwyl mae Andrew a Menna'n ei gael yn Barbados? Gwych, mae'n siŵr.

Dw i'n mynd i gael bath, golchi fy ngwallt, siafio fy nghoesau a gwasgu fy *blackheads*.

---

chwyn (ll)   weeds   *sgwn i*   I wonder

Rhagfyr 29ain Nos Sadwrn

Ffoniodd Siôn y bore 'ma i ddweud ei fod o ar ei ffordd, ac y basai fo yma erbyn amser cinio. Cyrhaeddodd o am bump. Ddywedais i ddim byd.

Mae gynno fo bloryn mawr piws ar ei drwyn ac mae o angen torri ei wallt.

Dydi o ddim yn edrych yn olygus iawn.

Buon ni yn y George. Roedd y lle'n llawn, ond roedd hi'n noson ddiflas. Wel, i fi. Roedd Siôn yn siarad â phawb ond fi drwy'r nos. Fasai Andrew byth yn gwneud hynny i Menna. Ond dyna ni, basai hi'n siarad â phawb beth bynnag. Dydi Menna ddim mor bathetig â fi.

Ar ôl mynd i'r gwely, ceisiais i drafod ein perthynas.

'Siôn?'

'Ie.'

'Dw i'n meddwl y dylen ni siarad.'

'Am beth?'

'Ni. Ein perthynas.'

'O, ddim nawr Blodwen, dw i wedi cael diwrnod hir a dw i jest moyn cysgu. Yn y bore . . .'

A dyna ni, roedd o'n chwyrnu'n syth. Mae hi rŵan awr yn ddiweddarach, a dw i'n methu cysgu o hyd. Dw i yn y gegin yn cael paned tra dw i'n sgwennu hwn, ac mae HRH yn llyfu fy wyneb. Mae hi'n gwybod pan dw i ddim yn hapus.

Ionawr 1af Nos Fawrth

Blwyddyn Newydd Dda. Buon ni yn y George eto neithiwr. Yr un hen wynebau, yr un hen sgwrs, dim ond bod pawb yn gwisgo hetiau gwirion ac wedi meddwi mwy nag arfer.

Dydi Siôn a fi ddim wedi trafod ein perthynas ni eto. Dw i'n ceisio, ond dydi'r amser byth yn iawn. Mae o wastad yn rhy brysur/wedi blino/yn ceisio gwylio'r pêl-droed/rhaglenni *National Geographic*.

Addunedau Blwyddyn Newydd:
1. Colli pwysau. Efallai ymuno â *Weight Watchers*.
2. Peidio â hyd yn oed edrych ar y stondin *Pick 'n Mix*.
3. Ymarfer corff. Ymuno â'r gampfa yn y Ganolfan Hamdden.
4. Gwneud i Siôn drafod ein perthynas.
5. Gorffen darllen *Seren Wen*.
6. Dysgu rhywbeth newydd – dw i ddim yn siŵr iawn beth. Iaith newydd fel Eidaleg efallai? Ond basai hynny'n drysu fy Nghymraeg. Paentio? Neu *cross-stitch* efallai.
7. Cynilo arian er mwyn gallu mynd ar wyliau i rywle braf.
8. Peidio â gwasgu fy mhlorod.
9. Cael trefn ar yr ardd.
10. Dw i'n methu meddwl am un arall.

Dw i'n edrych ymlaen at fynd 'nôl i'r gwaith fory.

---

addunedau (*ll*)	resolutions	*Eidaleg* (*eb*)	Italian
ymarfer corff	physical exercise	*drysu*	to confuse
		cynilo	to save
campfa (*eb*)	gym	*plorod* (*ll*)	spots

Ionawr 2il Nos Fercher

Roedd hi'n braf gweld pawb eto – hyd yn oed Gwen.

'*Happy New Year,*' meddai hi.

'A Blwyddyn Newydd Dda i chi hefyd,' atebais i.

'*O yes, sorry,*' meddai hi, '*that's one of my New Year's resolutions: to speak Welsh to you.*' Edrychais i arni hi. Edrychodd hi arna i. Ond doedd hi ddim yn sylweddoli pam fy mod i'n edrych yn wirion arni hi. '*But I'll carry on in English if you prefer,*' meddai hi wedyn.

'Na, bydd Cymraeg yn iawn, diolch.'

'*That's alright then.*'

Dw i ddim yn siŵr a ydi Gwen ar yr un blaned â phawb arall.

Heno, pan gyrhaeddodd Siôn yn ôl, dywedodd o bod rhai o'i ffrindiau adarydda wedi gofyn a oedd o eisiau mynd ar daith adarydda efo nhw i Sbaen.

'Neis iawn,' meddwn i, 'pryd?'

'Dydd Sadwrn,' meddai fo.

'Beth? Dydd Sadwrn yma?!'

'Ie. Pam? Oes problem?'

'Ym . . . na.'

Ac mae'n wir, does dim problem. Bydda i'n falch o gael y tŷ i mi fy hun eto. Jest fi a HRH, fel yr hen amser.

Ionawr 5ed Dydd Sadwrn

Mae Siôn newydd fynd. Daeth ei ffrindiau i'w nôl o mewn hen *Volvo estate* mawr. Tri dyn, a llawer o fagiau. Roedd un o'r dynion yn debyg iawn i Bill Oddie – bach, blêr a blewog. Roedd un arall yn dal a thenau a thawel iawn, ac roedd y trydydd yn chwerthin drwy'r

---

| *blêr* | scruffy | *blewog* | hairy |

amser. Chwerthin gormod, a dweud y gwir. Ar ôl pum munud, roedd o'n mynd ar fy nerfau i. Ro'n nhw i gyd yn mynd ar fy nerfau i.

Pan mae Siôn yng nghwmni beirdd, maen nhw'n sôn am bethau fel goben a phroest a dw i ddim yn deall gair. Pan mae o yng nghwmni adarwyr, maen nhw'n sôn am *bitterns* a *buntings* a *blue-faced boobies*, a dw i'n deall llai fyth.

Dw i wedi cael fideo ar gyfer heno: *Crouching Dragon, Hidden Tiger.* Neu efallai *Crouching Tiger, Hidden Dragon* ydi o. *Whatever.*

Ionawr 6ed Bore Sul

Roedd y ffilm yn wych. Dyna beth ydi cariad, nid y berthynas wag sydd gan Siôn a fi. Dw i eisiau i ddyn cyhyrog ar gefn ceffyl garu'n wyllt efo fi ar ben mynydd, nid '*wham bam*, diolch Blod, dw i'n mynd i wylio tylluanod'.

Nos Sul

Ffoniodd Andrew am chwech, wedi cael amser da iawn. Roedd o a Menna yn meddwl mynd i'r George am dro – o'n i a Siôn eisiau dod? Eglurais i fod Siôn yn Sbaen felly byddwn i'n aros adre. A bod yn onest, roedd gen i ofn gweld Andrew eto ar ôl y briodas.

'Paid â bod yn wirion!' meddai Andrew, 'dan ni'n dod i nôl ti rŵan!'

A daethon nhw i fy nôl i. Roedd y ddau yn frown ac yn edrych yn iach a hapus. Ond roedd Andrew wedi

---

tylluanod (*ll*)   owls

llosgi ei glustiau yn yr haul, felly ro'n nhw'n pilio braidd, ond roedd o'n dal i edrych yn olygus.

'Wyt ti eisiau gweld y lluniau?' gofynnodd Andrew pan gyrhaeddon ni'r George. Do'n i ddim eisiau eu gweld nhw o gwbl, ond mae hi'n anodd gwrthod Andrew. Roedd hi'n anodd cau ei geg o hefyd:

'Dyma ni ar y traeth, dyma ni yn snorclo – fi ydi'r un yn y fflipers melyn, dyma Menna yn dawnsio *reggae* efo un o'r dynion lleol, a dyma nhw eto, a dyma Menna'n yfed *rum punch* gyda – beth oedd ei enw o, Menna? Ie, Anthony, a dyma fy nhraed i yn y tywod, a dyma'r ferch oedd yn glanhau ein stafell ni, a . . .'

Doedd dim stop arno fo.

'Mae Menna eisiau mynd 'nôl cyn gynted a phosib on'dwyt ti, Mens?' gwenodd Andrew.

'Ydw, mae'n lle gwych, Blodwen, a phobl hyfryd. Baset ti wrth dy fodd yno. Ac mae'r dynion yn . . . wel!'

Mae'n siŵr. Ond dw i ddim yn gallu fforddio mynd i Barbados. Fydd Siôn ddim chwaith, ar ôl y trip adarydda yma.

Cawson ni noson braf, a dw i'n falch bod Andrew yn ôl, a dw i'n meddwl ein bod ni'n gallu aros yn ffrindiau, (beth ydi *despite?* – er gwaetha) er gwaetha beth ddywedodd o noson y briodas.

O, a buon ni'n chwerthin nes o'n ni'n sâl. (Dyna beth maen nhw'n ei ddweud yn Gymraeg.) Mae o'n swnio'n boenus iawn yn Saesneg – '*We laughed until we were sick . . .*' Roedd rhai o'r ffermwyr lleol yn y bar yn canmol Andrew am ddysgu Cymraeg mor dda. Dw i ddim yn siŵr pam na wnaethon nhw fy nghanmol i, ond dyna fo. Beth bynnag, gofynnodd un a oedd priodi Cymraes wedi bod o gymorth i Andrew i ddysgu'r iaith.

'O ydi,' cytunodd o, 'oherwydd ei bod hi'n fy nghyweirio i o hyd.'

Edrychodd y ffermwyr arno fo am eiliad, yna chwerthin dros y lle. Roedd Menna hefyd yn chwerthin gymaint, disgynnodd hi oddi ar ei stôl. Doedd Andrew na fi ddim yn deall pam.

'Beth sydd mor ddigri? Beth ddywedais i?' gofynnodd Andrew.

'Andrew bach,' meddai Wil Tan y Fron, 'mae 'na wahaniaeth mawr rhwng cyweirio a chywiro . . .'

'A dw i ddim yn meddwl y baset ti'n rhy hapus tasai Menna'n dy gyweirio di . . .!' gwenodd Alwyn Cae Du.

Chwarddodd pawb eto.

'Dw i ddim yn deall,' meddai Andrew mewn penbleth. 'Beth ydi cyweirio?'

'Dw i ddim yn siŵr be ydi o yn Saesneg,' meddai Wil. 'Rhown ni o fel hyn, baset ti'n canu soprano wedyn . . .'

Roedd pawb yn crio chwerthin rŵan ac, yn sydyn, sylweddolodd Andrew beth oedd ystyr 'cyweirio'. Andrew druan. Aeth o'n goch i gyd, ond buodd o'n chwerthin wedyn am hanner awr. Roedd o'n dal i chwerthin ar y ffordd adre.

A dw i ddim wedi chwerthin fel yna ers amser hir.

Ionawr 8ed Nos Fawrth

Ro'n i wedi meddwl ymuno â *Weight Watchers* heno, ond daeth Andrew i fy ngweld i.

'Ro'n i'n meddwl y baset ti'n unig,' eglurodd o.

---

cyweirio   to castrate

'Nac ydw, dw i'n mwynhau fy cwmni fy hun,' atebais i.

'Fy nghwmni,' meddai Andrew.

'Wel, ie, a cwmni ti.'

'Na, dylet ti ddweud "fy nghwmni fy hun", nid "fy cwmni". *It mutates*. A "dy gwmni di", nid "cwmni ti." '

'O, ie, wrth gwrs, diolch – am fy nghywiro i . . .' meddwn i gyda gwên.

'Paid â dechrau!'

'Mae'n ddrwg gen i.'

'Rwyt ti wedi blino,' meddai Andrew ar ôl edrych arna i'n ofalus.

'Ydw, braidd. Gyrru'r fan newydd . . . dw i mor – beth ydi *tense*?'

'*God knows*. Tyn? Efallai. Wyt ti eisiau *massage*?'

'Andrew . . .'

'Na, dw i o ddifri, dy ysgwyddau di . . . tyrd. Pum munud bach. Eistedda fan hyn.'

Ac yna, ro'n i'n eistedd ar y gadair ac roedd Andrew yn – beth ydi *to massage*? – yn tylino f'ysgwyddau i. Roedd o'n fendigedig. Ro'n i'n teimlo fel hedfan.

'Gwell rŵan?' gwenodd Andrew, ar ôl pum munud o nefoedd.

'Ydw diolch, llawer gwell,' gwenais i. Ond ro'n i wedi cochi ychydig bach.

Ro'n i wedi ei fwynhau o llawer gormod. Gwnes i baned i ni a buon ni'n siarad am amser hir am bopeth, ac yna aeth o adre.

Dydi Siôn erioed wedi tylino f'ysgwyddau i.

---

ysgwyddau (ll)   shoulders   *nefoedd (eb)*   heaven

Ionawr 9fed Nos Fercher

Es i i'r wers Gymraeg heno. Roedd Andrew wedi dod â'r gitar efo fo.

'Gwers wahanol heno,' meddai Menna, 'dan ni'n mynd i ganu!'

'O na, nid mwy o "Ffaldi raldi do dos" eto,' ochneidiodd Brenda.

'Na, caneuon y dylai pob Cymro a Chymraes allu eu canu,' meddai Menna, gan roi taflenni i bawb, 'rhai Dafydd Iwan. Ac i ddechrau, dyma fy ffefryn i: "Pam fod eira'n wyn". *"Why is snow white".*'

'Why is Snow White what?' gofynnodd Bob.

'Darllenwch y geiriau,' meddai Menna, 'a gwrandewch ar y tâp . . .'

Gwrandawodd pawb ar Dafydd Iwan yn canu, gan ddilyn y geiriau ar y daflen:

Pan fydd haul ar y mynydd,
Pan fydd gwynt ar y môr,
Pan fydd blodau ar y perthi,
A'r goedwig yn gôr;
Pan fydd dagrau f'anwylyd
Fel gwlith ar y gwawn,
Rwy'n gwybod, bryd hynny,
Mai hyn sydd yn iawn –

---

taflenni (*ll*)	sheets	*dagrau* (*ll*)	tears
ffefryn (*ll*)	favourite	*anwylyd* (*eg*)	sweetheart
perthi (*ll*)	hedgerows	*gwlith* (*eg*)	dew
côr (*eg*)	choir	*gwawn* (*eg*)	gossamer

Rwy'n gwybod beth yw rhyddid,
Rwy'n gwybod beth yw'r gwir,
Rwy'n gwybod beth yw cariad
At bobol ac at dir;
Felly peidiwch â gofyn eich cwestiynau dwl,
Peidiwch edrych arna i mor syn;
Dim ond ffŵl sydd yn gofyn
Pam fod eira yn wyn.

Stopiodd Menna y tâp.

'Dach chi'n deall ystyr "Pam fod eira yn wyn?" rŵan,' gofynnodd hi.

Edrychodd pawb arni hi mewn penbleth.

'Na? Iawn, efallai y bydd y penillion nesa'n help i chi.' A phwysodd hi'r botwm eto.

Pan fydd geiriau fy nghyfeillion
Yn felys fel y gwin,
A'r seiniau mwyn, cynefin,
Yn dawnsio ar eu min;
Pan fydd nodau hen alaw
Yn lleddfu fy nghlyw,
Rwy'n gwybod beth yw perthyn
Ac rwy'n gwybod beth yw byw!
(Cytgan)

rhyddid (eg)	freedom	cynefin	familiar
mewn penbleth	perplexed	min (eg)	lip
penillion (ll)	verses	nodau (ll)	notes
pwyso	to press	alaw (eb)	tune
cyfeillion (ll)	friends	lleddfu	to soothe
seiniau (ll)	sounds	clyw (eg)	hearing
mwyn	tender	cytgan (eg)	chorus

76

Pan welaf graith y glöwr,
A'r gwaed ar y garreg las,
Pan welaf lle bu'r tyddynnwr
Yn cribo'r gwair i'w das;
Pan welaf bren y gorthrwm
Am wddf y bachgen tlawd,
Rwy'n gwybod bod rhaid i minnau
Sefyll dros fy mrawd.
(Cytgan eto)

'Wel?' gofynnodd Menna, 'unrhyw syniad?'

'Beth ydi "fel gwlith ar y gwawn"?' gofynnodd Michelle.

'Awn ni dros yr eirfa'n fwy manwl – *in detail* – wedyn,' meddai Menna, 'dach chi wedi deall yn fras?'

Nodiodd pawb – gan gynnwys Bob. Mae hi'n anodd cyfadde nad ydych chi wedi deall pan mae pawb arall yn dweud eu bod nhw'n deall.

'Ym . . .' meddai Roy, 'mae'n sôn am bethau'n gwneud bywyd yn – *worth living*?'

'Yn werth ei fyw . . . ydi,' cytunodd Menna.

'Ie, pethau hapus a phethau trist,' meddai Jean.

'Trist? Lle?' gofynnodd Andrew.

'. . . dagrau f'anwylyd,' meddai Jean.

'Ond weithiau rwyt ti'n crio pan wyt ti'n hapus,' meddai Andrew.

---

craith (eb)	scar	*tas (eb)*	rick
glöwr (eg)	miner	*pren y gorthrwm*	the wood of
y garreg las	slate		oppression
tyddynnwr (eg)	smallholder	*yn fras*	roughly
cribo	to rake	*gan gynnwys*	including
gwair (eg)	hay	*cyfadde*	to admit

'Pethau sy'n ei gyffwrdd o ydan nhw,' meddai Brenda.

'Dw i'n meddwl bod y darn: "Rwy'n gwybod beth yw cariad at bobol ac at dir" yn bwysig,' awgrymais i (gan gofio bod Dafydd Iwan wedi bod yn y carchar dros yr iaith).

'Eitha posib,' meddai Menna, 'ond pam "dim ond ffŵl sydd yn gofyn pam fod eira yn wyn"?'

Aeth pawb yn dawel eto.

'Esgusodwch fi,' meddai Bob, 'mae o'n cwestiwn dwl – mae eira'n wyn achos mae eira'n wyn. Mae Dafydd Iwan yn Dafydd Iwan achos mae o'n Dafydd Iwan.'

Edrychodd pawb yn hurt arno fo.

I am what I am, ychwanegodd o.

'O, dw i'n gweld,' meddai Roy, 'mae'r pethau hyn yn bwysig iddo fo – a dyna fo, peidiwch â gofyn pam.'

'Dyma pam dw i'n canu a phrotestio ac yn y blaen!' meddai Michelle.

'Ti wedi cael o . . .' gwenodd Bob.

'Da iawn Bob,' meddai Menna.

'Dw i'n deall yn well *than* dw i'n siarad,' meddai Bob yn swil.

Wedyn buon ni'n canu, a dw i'n meddwl fy mod i'n – beth ydi *memorize?* – gwybod y gân ar fy nghof rŵan. Dywedais i hyn wrth Andrew wedyn.

'Bydda i'n gallu canu efo pawb arall mewn cyngerdd Dafydd Iwan rŵan!' meddwn i.

'Dw i ddim yn meddwl,' meddai fo. 'Mae o wedi rhoi'r gorau i wneud cyngherddau.' *Typical.* Dw i'n rhy hwyr eto.

---

cyffwrdd	to touch	*ychwanegu*	to add
awgrymu	to suggest	*cyngherddau* (*ll*)	concerts

Aethon ni i gyd i'r George wedyn, a ches i noson dda iawn. Dywedais i wrth Andrew ei fod o'n dda iawn ar y gitâr.

'Diolch. Dw i wedi bod yn ymarfer,' meddai fo. 'Mae gen ti lais canu tlws iawn hefyd.'

'Diolch.' Wedyn edrychon ni ar ein gilydd, ac es i'n binc. Aeth o'n binc hefyd. Roedd yn deimlad rhyfedd iawn.

Roedd Menna braidd yn rhyfedd hefyd. Doedd hi ddim yn siarad llawer ag Andrew yn y George, dim ond yn tecstio ar ei ffôn symudol bob munud, ac yn giglan. A sôn am ffôn – dw i ddim wedi clywed gair gan Siôn eto.

Dywedodd Bob bod tiwtor y dechreuwyr wedi gwella, felly heno oedd ei wers ola efo ni. Byddwn ni i gyd yn gweld eisiau Bob.

Ionawr 11eg Nos Wener

Mae Siôn yn cyrraedd 'nôl fory. Dw i ddim yn edrych ymlaen at hynny. Mae HRH a fi wedi bod yn hapus iawn hebddo fo. Mae hi wedi bod yn braf iawn cael y gwely i gyd i mi fy hun – a'r teledu, a'r soffa, a'r oergell.

Ionawr 12fed Nos Sadwrn

Ffoniodd Siôn yn y prynhawn – roedd o'n mynd i aros noson yn Leeds gyda'i ffrindiau. Iawn. Dim problem. Ffoniodd Andrew hanner awr yn hwyrach, i weld a o'n i eisiau mynd i weld ffilm yn Llandudno. Dim problem! Ond pan gyrhaeddodd o yn y car, doedd Menna ddim efo fo.

---

tlws   pretty

'Roedd hi eisiau aros i mewn,' meddai fo.

Felly cawson ni noson braf iawn, dim ond Andrew a fi, ac roedd y ffilm yn wych.

Ionawr 17eg Nos Iau

Dw i wedi bod yn rhy flin i sgwennu tan heno. Daeth Siôn 'nôl yn hwyr nos Sul, a dan ni wedi bod yn mynd ar nerfau ein gilydd yn fwy nag erioed. Y peth cynta a ddywedodd o wrtha i oedd:

'Dwyt ti ddim wedi ymuno â *Weight Watchers* eto, dw i'n gweld . . .'

Mae hi'n oer ac mae hi wedi bod yn bwrw glaw drwy'r amser.

O ie, a ches i brofiad ofnadwy neithiwr. Roedd Menna wedi sylwi nad oedd Mike Williams wedi bod yn y dosbarth ers y Nadolig.

'Ond mae o wedi talu'r ffi llawn,' meddai hi.

'Efallai ei fod o'n sâl?' meddai Jean. 'Dylen ni ofyn, rhag ofn.'

Fi ydi'r ysgrifenyddes eleni, felly fi oedd yn gorfod ei ffonio fo. Felly, ar ddiwedd y wers, gan fod fy ffôn symudol gen i, dyna beth wnes i. Dynes atebodd y ffôn.

'Helo, ydi Mike Williams yna os gwelwch yn dda?'

'*Mike? No. Who's speaking?*'

'Blodwen Jones, *on behalf of the Welsh class he enrolled with.*'

'*Yeah? What d'you want?*'

'*Well, we were wondering where he was.*'

'*What you on about? He's with you.*'

'*With us? No, I'm afraid he's not. We haven't seen him for a while, now.*'

'*Uh? But he goes to Welsh classes every Wednesday night. Dead keen he is. There for hours.*'

'*Every –? Oh. Um . . .*' O diar. Ro'n i'n dechrau chwysu.

'*You mean the sod's been lying to me?!*'

'*I . . . I honestly couldn't say . . . maybe he's joined another class or –*'

'*The sly little git! I thought I could smell perfume on him! He's with that bloody tart again, isn't he! I'll kill him!*'

Llwyddais i i ddod oddi ar y ffôn, ond ro'n i'n crynu ac ro'n i eisiau bod yn sâl. Ond roedd gweddill y dosbarth wedi bod yn gwrando, ac ro'n nhw i gyd yn chwerthin.

'*Nice one Blodwen,*' meddai Brenda, '*you marriage breaker . . .!*'

Doedd hynny ddim yn ddigri o gwbl.

Ionawr 18fed Nos Wener

Mae Siôn yn mynd i wylio adar eto fory. Ofynnodd o ddim a o'n i eisiau dod. Ond mae Andrew wedi gofyn a ydw i eisiau mynd i Bortmeirion efo fo a Menna. Dw i wedi cytuno. Dw i erioed wedi bod yno o'r blaen.

Ionawr 19eg Nos Sadwrn

Dw i newydd ddod yn ôl. Diwrnod hyfryd. Roedd hi'n oer, ond roedd yr awyr yn las, ac mae Portmeirion yn fendigedig. A doedd Menna ddim yno.

'Wedi cael bỳg,' meddai Andrew, 'ond roedd hi'n . . . insisto . . .'

'Mynnu?'

'Ie, roedd hi'n mynnu ein bod ni'n dau'n mynd beth bynnag. Roedd hi eisiau llonydd i fod yn sâl meddai hi.'

'Ie, mae hynny'n well weithiau.'

Cawson ni fwyd anhygoel (a phwdin) yn y gwesty, buon ni am dro yn y coed, ac ar hyd yr afon. Dw i wedi syrthio mewn cariad. Mae'r lle yn baradwys. Diwrnod gwych, ac mae Andrew yn gwneud i mi chwerthin, ac yn gwneud i mi deimlo'n dda. Pan o'n ni'n dewis pwdin, dywedais i:

'Ddylwn i ddim. Dw i'n rhy dew'n barod . . .'

'Beth! Paid â bod yn wirion! Rwyt ti'n berffaith fel wyt ti!'

A rhywsut, ro'n i'n gwybod ei fod o'n ei feddwl o.

Yn hwyrach

Mae Andrew newydd fy ffonio.

'Dw i newydd gyrraedd y tŷ,' meddai fo, 'ac mae Menna wedi mynd.'

'Beth rwyt ti'n feddwl, wedi mynd?'

'Wedi mynd. Ei dillad, ei phethau hi i gyd. Ac mae hi wedi gadael nodyn . . . mae hi wedi mynd i Barbados – at Anthony.'

'Pwy?'

'Y dyn roedd hi'n dawnsio efo fo drwy'r amser ar ein mis mêl ni! Roedd y bitsh yn cael affêr efo fo AR EIN MIS MÊL NI!!!'

Roedd o'n swnio'n *hysterical*. Dw i'n mynd draw i'r tŷ rŵan, cyn iddo fo wneud rhywbeth gwirion.

---

ar hyd   along

Ionawr 20fed Nos Sul

O diar. O diar o diar o diar. Pan gyrhaeddais i'r tŷ, roedd Andrew'n eistedd ar lawr y gegin yn crio. Roedd darnau o blatiau, cwpanau a photeli wedi malu dros y lle i gyd, ac roedd Andrew'n eistedd mewn pwll o lefrith, sos coch a choffi. Do'n i ddim yn siŵr iawn beth i'w wneud i ddechrau. Ond wedyn es i i eistedd ar y llawr efo fo a gafael yn dynn ynddo fo. A buon ni'n dau'n crio am amser hir.

Wedyn, aeth o i gael cawod tra fy mod i'n glanhau'r gegin. Des i o hyd i nodyn Menna ynghanol y llanast.

Andrew,

Dydi ein perthynas ni byth yn mynd i weithio. Mae Anthony a fi mewn cariad a dw i wedi dal awyren i Barbados y prynhawn 'ma. Does dim pwynt i ti geisio fy nilyn. Dw i wedi trefnu popeth: bydd Mam yn dod i nôl fy nodrefn i a hanner yr anrhegion priodas yr wythnos nesa, a bydd tiwtor arall ar gyfer y dosbarth Cymraeg.

Mae'n ddrwg gen i dy frifo, ond mae'n well sylweddoli camgymeriad yn hwyr nag yn hwyrach.

Pob lwc,
Menna.

O.N. Bydd cyfreithiwr yn cysylltu â ti cyn hir i drefnu'r ysgariad a fy siâr i o'r tŷ.

malu	to smash	dodrefn	furniture
llefrith (GC)	llaeth (DC)	O.N	P.S.
llanast (eg)	mess	ysgariad (eg)	divorce
dilyn	to follow		

Taflais i o yn y bin. Yr hen fuwch ddideimlad! Ond nid dyma'r tro cynta iddi hi newid ei meddwl yn sydyn. Roedd hi i fod i briodi rhywun arall cyn iddi hi gyfarfod ag Andrew, wedi'r cwbl. Ro'n i'n teimlo dros Anthony'n barod.

Pan ddaeth Andrew allan o'r gawod, roedd o'n edrych fel hogyn bach. Gafaelais i ynddo fo eto, a gwasgodd o fi'n dynn.

'Paid â fy ngadael i ar fy mhen fy hun heno Blodwen,' meddai fo, 'dw i ddim eisiau bod ar fy mhen fy hun.'

Felly arhosais i efo fo. Ffoniais i'r tŷ i ddweud wrth Siôn – ond doedd dim ateb.

Pan ddeffroais i'r bore 'ma, do'n i ddim yn siŵr lle ro'n i i ddechrau. Wedyn gwelais i wyneb Andrew wrth fy ymyl ar y gwely. Ro'n ni'n dau'n dal yn ein dillad, ac yn dal i afael dwylo. Edrychais i arno fo am hir, do'n i ddim yn siŵr beth i'w wneud. Yna agorodd o ei lygaid.

'Paid â mynd,' meddai fo. 'Aros efo fi. Dwyt ti ddim yn caru Siôn.'

Bues i'n meddwl am hyn am amser hir. Dw i ddim yn siŵr a ydw i'n caru Siôn, ond dw i ddim yn siŵr a ydw i'n caru Andrew chwaith. Dw i ddim eisiau bod efo neb ar y *rebound*. A dw i ddim yn siŵr am y blacmel emosiynol chwaith. Dywedais i wrtho fo fod rhaid i mi fynd, ond gwnes i frecwast iddo fo'n gynta a ffoniais i Roy, i ofyn iddo fo ddod draw.

Des i adre, ac roedd Siôn yn gorwedd ar y soffa gyda HRH ar ei fol. Eglurais i ble ro'n i wedi bod a beth oedd wedi digwydd. Wedyn buon ni'n siarad am amser hir, ac esboniais i fy nheimladau – ac am y tro cynta erioed, penderfynodd o wrando.

Dan ni wedi gorffen. Bydd o'n symud i fflat ym Mangor fory. A rŵan dw i'n mynd i fy ngwely (mae o'n cysgu ar y soffa). Mae gen i gur pen.

Ionawr 31ain Nos Iau

Mae Roy, Brenda, Jean a fi wedi bod yn gofalu am Andrew yn ein tro. Mae o wedi colli pwysau, ac mae o'n llwyd iawn. Dw i wedi bod yn gwneud swper iddo fo bob nos, ac mae Brenda wedi bod yn gwneud pethau fel pwdin bara menyn, ond dydi o ddim yn bwyta llawer ohono fo.

Dw i'n teimlo'n ofnadwy. A phan mae o'n edrych arna i efo'i lygaid *King Charles Spaniel*, dw i eisiau ei gofleidio fo. Dw i'n gwybod ei fod o eisiau hynny, ond dw i ddim mor siŵr. Mae'n rhy gynnar.

Dw i ddim wedi gweld Siôn o gwbl. Mae'n rhyfedd gweld sinc lân bob bore a drych heb smotiau pâst dannedd arno fo. Mae hefyd yn rhyfedd cysgu ar fy mhen fy hun. Roedd o'n braf i ddechrau, ond rŵan fy mod i'n gwybod na fydd o'n dod 'nôl, mae'r gwely'n teimlo mor wag. Ond dw i ddim yn siŵr a ydw i eisiau Andrew ynddo fo. Ond eto . . . dw i'n meddwl y byd ohono fo.

Dw i ar goll, braidd. Dw i angen gwyliau i glirio fy mhen. Gweithiodd o i Shirley Valentine. Ond dw i ddim yn gallu fforddio mynd i wlad Groeg, felly dw i'n meddwl mynd i Iwerddon am benwythnos hir pan gaf i gyfle.

---

cofleidio   to embrace

Chwefror 4ydd Nos Lun

Bues i yn nhŷ Andrew am y rhan fwya o'r penwythnos.
Bues i'n glanhau, golchi ei ddillad ac yn y blaen, a rhoi
albwm lluniau'r briodas mewn bag plastig du o dan y
wardrob. Wedyn buon ni'n gwylio fideos yn y nos. A
phan ddywedodd o 'Dw i'n ffansïo *pizza*,' ro'n i'n
gwybod ei fod o'n dechrau gwella.

Dydi o ddim wedi sôn gair am ein perthynas ni
wedyn, ond bob tro dw i'n mynd adre gyda'r nos, mae
o'n edrych arna i fel tasai fo eisiau i mi aros. Dw i jest
yn rhoi sws ar ei foch o ac yn mynd. Ond dw i'n cael fy
nhemtio i aros fwy a mwy bob tro. Mae fy ngwely i
mor oer.

Chwefror 5ed Bore Mawrth

Dw i mewn sioc. Ces i lythyr heddiw: dw i wedi ennill
cystadleuaeth – pythefnos i ddau yn y Maldives!
YEEEES!!! Bues i'n meddwl am y peth drwy'r bore, a
dw i wedi gofyn i Andrew ddod efo fi. Mae o wedi
cytuno wrth gwrs. Dan ni'n mynd mewn pythefnos.
Bydd o'n gwneud lles i'r ddau ohonon ni. Ac os dan
ni'n 'clicio', gwych! Pawb yn hapus eto. Ond cawn ni
weld . . . dydi o ddim wedi fy ngweld i mewn bicini eto.

Mawrth 3ydd Nos Sul

Ar y ffordd adre yn yr awyren, ac Andrew'n cysgu'n
sownd ar f'ysgwydd i.

Cawson ni amser gwych. Tywydd bendigedig, llawer
o nofio, hwylio, snorcelu, darllen a bolaheulo. Dw i'n

---

hwylio   to sail

frown fel cneuen, dw i wedi colli hanner stôn (bues i'n sâl iawn ar ôl bwyta cimwch) a dw i wedi gorffen darllen *Seren Wen*. Dw i hefyd yn gwybod sut dw i'n teimlo am Andrew ac mae Andrew'n gwybod sut mae o'n teimlo amdana i. Byddwn ni bob amser yn ffrindiau agos, ond rhamant? Na, yn anffodus. Dw i'n gwybod bod ffrindiau'n syrthio mewn cariad mewn nofelau rhamantus, ond nid nofel ydi fy mywyd i, dim ond realiti wirion, greulon ac *illogical*. Beth ydi *illogical?* Does gen i ddim geiriadur. Afresymol? Beth bynnag, dw i wedi sylweddoli fy mod i'n colli Siôn yn ofnadwy, ond does dim pwynt, dydi o ddim mewn cariad efo fi. Felly mae Andrew'n caru Menna sydd mewn cariad efo Anthony, a dw i mewn cariad efo Siôn, ond dydi Siôn ddim mewn cariad efo fi. Mae bywyd yn hen ast.

Mawrth 4ydd Bore Llun

Hen ast ddywedais i? Hen ast hyll, gas, greulon! Pan es i i mewn i'r tŷ, roedd neges ar y peiriant ateb i mi gan Siôn – roedd o wedi ei gadael hi'r diwrnod es i i'r Maldives. Roedd o'n gweld f'eisiau i, roedd o'n fy ngharu i ac roedd o eisiau dechrau eto! Ond os nad o'n i'n ei ffonio fo mewn wythnos, basai fo'n deall fy mod i ddim eisiau fo 'nôl – ac felly basai fo'n mynd 'nôl i Ynys Enlli'n syth. Beth! Do'n i ddim yn credu'r peth. Chwaraeais i'r neges drosodd a throsodd. Ie, dyna roedd o'n ei ddweud, ac os oedd o wedi gadael y neges y diwrnod es i i'r Maldives, roedd o yn Enlli ers wythnos!

---

cneuen (eb)	nut	*creulon*	cruel
cimwch (eg)	lobster	*hen ast*	real bitch

Ffoniais i swyddfa Ymddiriedolaeth Enlli yn Aberdaron yn syth, ond ro'n nhw'n dweud bod y tywydd yn llawer rhy ddrwg i neb fynd i Enlli heddiw.

Felly ceisiais i ffonio'r ynys, ond roedd hi'n amhosib mynd trwodd. Doedd hi ddim yn deg, ro'n i eisiau dweud wrth Siôn fy mod i'n ei garu o !

Mawrth 5ed

Gwynt a glaw – dim cwch yn mynd i Enlli. Dim yn bosib mynd trwodd ar y ffôn chwaith.

Mawrth 6ed

Dim cwch o hyd. Na ffôn.

Mawrth 7fed

Dw i'n mynd i aros mewn pabell yn Aberdaron – rhag ofn bod y tywydd yn iawn am ychydig bach. Dw i wedi bod yn Tesco yn prynu pethau neis fel gwin a siocled. Bydd Siôn mor falch o fy ngweld i.

Mawrth 8fed – yr ail noson yn y babell

Dw i'n wlyb ac yn oer ac mae hyn yn wirion. Mae'r bobl yn y dafarn lle ces i swper neithiwr a heno'n dechrau meddwl fy mod i'n od iawn. Gwelais i fy hun yn y drych yn y tŷ bach – mae golwg wyllt iawn arna i. Os nad ydi'r tywydd yn iawn fory, dw i'n mynd adre.

---

ymddiriedolaeth (*eb*)   trust

A dw i wedi bwyta'r siocled i gyd. Mae'r hanner stôn a gollais i yn y Maldives wedi dod 'nôl a dw i wedi dechrau pilio.

Mawrth 9fed Goleudy Ynys Enlli

O'r diwedd! Roedd cwch yn mynd y bore 'ma, felly neidiais i arno fo'n syth. Des i'n syth i'r goleudy ond dydi Siôn ddim yma. Dw i wedi bod yn eistedd yma ers awr yn disgwyl amdano fo, ond dw i'n dechrau cael llond bol. Dw i'n mynd allan i chwilio amdano fo. Alla i ddim diodde hyn. Mae'n rhaid i mi ei weld o.

Mawrth 10fed Seithfed Nef

Bues i'n crwydro'r ynys am oriau. Roedd y niwl yn isel felly roedd hi'n anodd gweld dim. Bues i'n gweiddi, ond roedd y gwynt yn cario fy llais i Iwerddon yn syth. Ro'n i eisiau crio. Ro'n i'n gwybod ei fod o ar yr ynys rywle, ond do'n i ddim yn gallu dod o hyd iddo fo!

Roedd fy nghoesau i'n brifo, ro'n i'n oer ac yn wlyb, ac ro'n i'n mynd i droi 'nôl am y goleudy pan lithrais i ar y clogwyn. Roedd y gwair mor wlyb, do'n i ddim yn gallu stopio, ro'n i'n llithro'n gynt ac yn gynt. Ro'n i'n gallu gweld fy hun yn cael fy malu'n rhacs ar y creigiau, a fy nghorff yn cael ei gario allan i'r môr, pan laniais i'n sydyn ar ben . . . rhywun.

'Awwwww!' daeth llais o dan fy nghefn/mhen-ôl/ nghoes i.

---

goleudy (*eg*)	lighthouse	*malu'n rhacs*	to smash to
crwydro	to roam		smithereens
gynt	faster		

'Siôn?'

'Blodwen?'

'Siôn!!'

'Dw i ddim yn credu hyn! Ro'n i ar fin tynnu llun o grëyr y nos!'

'Beth?'

'Crëyr y nos! Dw i erioed wedi gweld un o'r blaen! A nawr rwyt ti wedi ei ddychryn e bant!'

'O. Mae'n ddrwg gen i.'

'Dwyt ti ddim yn newid dim, fenyw!'

Ro'n i bron â chrio. Doedd pethau ddim i fod i ddigwydd fel hyn. Ddim eto.

'Ie, wel,' meddai Siôn ar ôl edrych arna i. 'Ond dw i'n falch . . . dw i'n dy hoffi di fel wyt ti.'

Beth? Roedd o'n gwenu!

'Wyt ti?'

'Ydw. Hyd yn oed os wyt ti'n gwneud i mi ddiodde am wythnosau heb glywed gair.'

'Galla i egluro hynny –'

'Does dim angen i ti. Rwyt ti 'ma nawr.'

'Ond beth am y crëyr?'

'Stwffio fe! Dere 'ma!'

Mae gweddill y sgwrs wedi ei sensro. Mater preifat rhwng Siôn a fi, ond ro'n ni'n dau'n gweld sêr ac yn clywed feiolins. Miloedd ohonyn nhw. Er gwaetha'r niwl. Ond y darn gorau oedd wedyn, yn y goleudy, pan o'n ni'n yfed y gwin coch. Ro'n i newydd dywallt tipyn o fy ngwin i dros ei lyfr adarydda newydd o, ac yn ceisio ei lanhau gyda fy llawes, ac yn disgwyl cael row arall.

----

creyr y nos   night heron

'Blodwen?' meddai Siôn mewn llais rhyfedd.

'Ie – dw i'n gwybod . . . mae'n ddrwg gen i . . . ond mae o'n dod . . . edrych . . .'

'Anghofia fe . . .'

'Beth? Ond . . .'

'Blodwen, dyw e ddim yn bwysig.' Oedodd o, 'Ond mae hyn *yn* bwysig – wnei di fy mhriodi i?'

Ces i gymaint o sioc, tywalltais i'r gwydryn cyfan dros y llyfr adarydda. Do'n i ddim yn siŵr a o'n i wedi clywed yn iawn, ond gofynnodd o'r un peth eto. Roedd o eisiau ateb, wrth gwrs, felly rhoiais i fy ateb iddo fo.

Does dim rhaid i mi ddweud beth oedd f'ateb i, oes e?

Dw i'n meddwl bod Blodwen Jones wedi gwneud y peth iawn o'r diwedd!

NODIADAU

Mae'r rhifau mewn cromfachau (*brackets*) yn cyfeirio at (*refer to*) rif y tudalennau yn y llyfr.

Gwelwch chi'r ffurfiau amser presennol isod yn y nofel:

ydi (ydy)/dydi (dydy)
> Yr unig reswm mae o eisiau i mi ddod ydi er mwyn iddo fo gael yfed. (16)

> *The only reason he wants me to come is so that he can drink.*

dan ni (dyn ni)
> . . . dan ni wedi prynu'r pethau dan ni eu hangen dros y blynyddoedd. (22)

> . . . *we have bought the things we need over the years.*

dach chi (dych chi)
> . . . os dach chi'n bwyta gormod, dach chi byth eisiau gweld *Banoffee Pie* eto. (19)

> . . . *if you eat too much, you never want to see Banoffee Pie again.*

1. Gan

Yn yr iaith ffurfiol ac yn nhafodieithoedd y Gogledd, yr arddodiad 'gan' sy'n dynodi meddiant (*denotes possession*)

Iaith y De	Iaith y Gogledd
Mae car 'da fi	mae gen i gar

Y ffurfiau sy'n cael eu defnyddio yn y nofel hon yw:

gen i	gynnon ni
gen ti	gynnoch chi
gynno fo	gynnyn nhw
gynni hi	

. . . roedd gen i gwsmeriaid oer a blin iawn drwy'r dydd. (9)

. . . I had cold and annoyed customers all day.

. . . mae gynnon ni aelod newydd yn y dosbarth am ychydig. (12)

. . . we have a new member in the class for a short while.

Bod gynno fo ddim byd gwell i'w wneud! (21)

That he didn't have anything better to do!

Mae'n rhaid bod gynnyn nhw berthynas onest iawn, meddyliais i. (61)

They must have a very honest relationship, I thought.

2. Amodol *(conditional)*

Mae gan y berfenw 'bod' lawer o wahanol ffurfiau yn yr amodol. Dyma ffurfiau'r nofel hon:

Baswn i (*I would be*)	Basen ni
Baset ti	Basech chi
Basai fo/hi	Basen nhw

Basai Andrew'n torri ei galon. (33)

Andrew would be heartbroken.

Taswn i (*If I were*)	Tasen ni
Taset ti	Tasech chi
Tasai fo/hi	Tasen nhw

Hi fasai'r gynta i gwyno tasai ei hwyrion hi ddim yn gallu siarad Cymraeg. (45)

She would be the first to complain if her grandchildren couldn't speak Welsh.

Wyt ti wedi darllen y nofelau i gyd yng nghyfres

NOFELAU NAWR

DeltaNet*   Andras Millward

Coban Mair*   Gwyneth Carey

Bywyd Blodwen Jones*   Bethan Gwanas

Beth Nesa?*   Gwen Redvers Jones

Modrybedd Afradlon   Mihangel Morgan

Cadwyn o Flodau   Sonia Edwards

Pwy Sy'n Cofio Siôn?   Mair Evans

Gwendolin Pari P.I.   Meleri Wyn James

Clymau Ddoe   Alys Jones

Blodwen Jones a'r Aderyn Prin   Bethan Gwanas

Chwarae Mig   Annes Glyn

£3.50 yr un.

Am ragor o wybodaeth cysylltwch â

www. gomer.co.uk

*Nodiadau i diwtoriaid ar gael ar gyfer y nofelau hyn.